Vida em comunhão

Vida em comunhão

DIETRICH BONHOEFFER

Traduzido por Vilson Scholz

Edição
Daniel Faria

Revisão
Natália Custódio

Produção e diagramação
Felipe Marques

Colaboração
Ana Luiza Ferreira
Marina Timm
Ricardo Shoji

Capa
Jonatas Belan

CIP-Brasil. Catalogação na publicação
Sindicato Nacional dos Editores de Livros, RJ

B697v

Bonhoeffer, Dietrich, 1906-1945
Vida em comunhão / Dietrich Bonhoeffer ; tradução Vilson Scholz. - 1. ed. - São Paulo : Mundo Cristão, 2022.
128 p.

Tradução de: Gemeinsames leben
ISBN 978-65-5988-103-1

1. Espiritualidade. 2. Vida cristã. I. Scholz, Vilson. II. Título.

22-77066 CDD: 248.4
CDU: 27-584

Meri Gleice Rodrigues de Souza - Bibliotecária - CRB-7/6439

Categoria: Espiritualidade
1ª edição: junho de 2022 | 3ª reimpressão: 2025

Publicado no Brasil com todos os direitos reservados por:

Editora Mundo Cristão
Rua Antônio Carlos Tacconi, 69
São Paulo, SP, Brasil
CEP 04810-020
Telefone: (11) 2127-4147
www.mundocristao.com.br

Sumário

Nota do tradutor

O livro *Vida em comunhão* (em alemão, *Gemeinsames Leben*, que poderia ser traduzido também por "Vida comunitária") foi publicado em 1939, tornando-se a obra de Bonhoeffer que teve a maior circulação enquanto o autor viveu. Esses dados tornam-se mais significativos quando colocados dentro do contexto de sua vida.

Dietrich Bonhoeffer nasceu em fevereiro de 1906 e foi morto numa prisão nazista, em abril de 1945, pouco antes do fim da Segunda Guerra Mundial. Ele tinha sido preso em abril de 1943.

A família Bonhoeffer não era particularmente religiosa, mas aos 15 anos de idade Dietrich já tinha decidido que seria teólogo. Ele terminou o curso de Teologia em 1927, e seu trabalho de conclusão se intitula *Sanctorum Communio* [A comunhão dos santos]. Esse texto, que viria a ser publicado em 1930, já revela um interesse pelo tema da eclesiologia.

No início da década de 1930, Adolf Hitler tornou-se primeiro-ministro da Alemanha. Em 1934 foi organizada a Igreja Confessante (*Bekennende Kirche*), em oposição à Igreja do Reino (*Reichskirche*), a igreja evangélica oficial que estava alinhada com o regime nazista. Bonhoeffer era pastor da Igreja Confessante, que logo foi declarada ilegal e passou a ser perseguida.

A Igreja Confessante tinha vários seminários destinados à formação de pregadores. Depois de cursar Teologia numa universidade, os candidatos ao pastorado tinham de passar algum tempo num desses seminários. A direção do Seminário de Finkenwalde foi entregue a Bonhoeffer, em 1935. Finkenwalde era uma localidade na região da Pomerânia (bem ao norte da Alemanha), nas imediações da cidade de Stettin, que hoje faz parte da Polônia.

Em 1937, ainda como diretor do seminário, Bonhoeffer publicou *Discipulado* (em alemão, *Nachfolge*, literalmente "Seguimento"). De certa maneira, *Vida em comunhão*, publicado dois anos depois, é a tentativa de concretizar o que aparece na obra *Discipulado*.

Ainda em 1937, em 28 de setembro, a polícia secreta do Estado nazista fechou o Seminário de Finkenwalde. À luz disso pode-se dizer que *Vida em comunhão* não teria sido escrito, pelo menos não naquele momento, se a experiência comunitária de Finkenwalde não tivesse sido encerrada de forma violenta pela polícia. Como o Prefácio da obra deixa transparecer, Bonhoeffer estava convencido de que a igreja precisava buscar novas formas de vida comunitária. *Vida em comunhão* era apenas uma "contribuição individual" para um tema mais abrangente. A obra foi escrita em setembro e outubro de 1938. Bonhoeffer escreveu praticamente sem parar, durante as quatro semanas de férias que passou na casa de sua irmã gêmea, Sabine.

O livro reflete mais ou menos o tipo de vida que se levava em Finkenwalde. Não se trata, portanto, de um escrito programático, ou seja, algo que Bonhoeffer queria que acontecesse, mas um relato do que, em grande parte, acontecia naquele seminário. Em Finkenwalde, a vida em comunhão incluía a escuta regular e comunitária da Palavra de Deus, atividade teológica (afinal, era um seminário) e convívio social. As refeições tinham também um pouco do caráter de uma ágape da igreja dos primeiros tempos.

Ao ser publicado, em 1939, *Vida em comunhão* causou profundo impacto. Aquilo era algo totalmente novo no contexto da Alemanha protestante. Essa observação se faz necessária, porque é raro o leitor que não tenha algum estranhamento diante do que Bonhoeffer escreve. Ainda durante a breve existência do Seminário de Finkenwalde, entre 1935 e 1937, já circulavam, na Alemanha, rumores a respeito das "terríveis heresias" daquele local. Falava-se sobre (ou contra) práticas católicas e atividades pacifistas de cunho entusiasta e radical. (Bonhoeffer era, de fato, pacifista, mas a partir de certo momento passou a ser ativista, tendo inclusive participado de uma conspiração para assassinar Hitler, liderada por seu cunhado Hans von Dohnanyi.) Os próprios alunos mostravam-se resistentes a diversos aspectos dessa "vida comunitária". Especialmente impopular era o período de meia hora de meditação silenciosa no começo do dia. Consta que apenas Bonhoeffer sabia como preencher aquele tempo. Alguns alunos fitavam o vazio, enquanto outros liam comentários bíblicos. Alunos de outros seminários caçoavam, dizendo que em Finkenwalde meditava-se até mesmo durante a escovação dos dentes, logo ao levantar. A situação chegou a tal ponto que, certa noite, o assunto foi discutido abertamente no seminário. Conforme o relato de Eberhard Bethge, amigo e biógrafo de Bonhoeffer, ele ouviu tudo o que os alunos tinham a dizer, mas a prática não foi modificada. Bethge constata que, mesmo deixando tudo entregue à liberdade dos envolvidos, as sugestões de

Bonhoeffer sempre eram feitas de tal forma que os alunos sabiam que tinham de concordar.

Bonhoeffer era pastor e teólogo luterano. Isso se mostra não apenas no fato de ele citar Lutero, mas também no enfoque adotado em boa parte do que escreve. Polaridades como condenação e justificação, lei e evangelho são típicas da teologia luterana. A ênfase na confissão de pecados diante de um irmão com vistas à absolvição, que é uma das surpresas do texto na parte final, nada mais era que uma tentativa de recuperar uma prática comum entre os luteranos do século 16 (como mostra o Artigo XI da Confissão de Augsburgo). Além disso, o leitor nota que Bonhoeffer cita livros apócrifos ou deuterocanônicos, como, por exemplo, Eclesiástico. Esses livros estão na Bíblia de Lutero, e raramente um evangélico não luterano faria citação de tais obras.

Traduzir Bonhoeffer é um considerável desafio. Ele faz uso de um vocabulário rebuscado e tem formas de expressão bem peculiares. Não é necessário explicar todas as estratégias de tradução adotadas, mas cabe um comentário sobre o termo alemão *Gemeinsam* ("comum"), que aparece repetidamente. Usamos tanto "comunhão" quanto "comunidade", a depender do contexto.

As notas de pé de página foram acrescentadas pelo tradutor. Foram extraídas de dados que aparecem na biografia escrita por Eberhard Bethge e intitulada *Dietrich Bonhoeffer: Theologe, Christ, Zeitgenosse* [Dietrich Bonhoeffer: teólogo, cristão, homem de seu tempo].

Prefácio

Faz parte da natureza do assunto tratado que a pesquisa em torno dele apenas pode ser levada adiante por meio de trabalho comunitário. Por ser matéria que não interessa apenas a um círculo restrito, pois é tarefa que cabe à igreja como um todo, também não convém apresentar soluções aleatórias, em maior ou menor número, visto que é uma responsabilidade comunitária da igreja. O compreensível receio que acompanha a realização dessa tarefa, formulada em época tão recente, precisa gradualmente dar lugar a uma disposição eclesiástica para a cooperação. A diversidade de novas formas de comunhão eclesiástica torna necessária a atenta cooperação de todos os que têm alguma responsabilidade em relação a isso. A exposição que segue não pretende ser mais que uma contribuição individual para esse tema tão abrangente e, na medida do possível, também uma ajuda para o esclarecimento do assunto e para a prática da comunhão.

1

Comunhão

"Veja como é bom e agradável que irmãos vivam lado a lado em união" (Sl 133.1).[1] Naquilo que segue, quero analisar alguns conselhos e orientações que as Escrituras Sagradas nos dão a respeito da vida em comunhão sob a Palavra.

Para um cristão, não é algo totalmente óbvio que ele possa viver em meio a outros cristãos. Jesus Cristo viveu em meio a seus inimigos. No final, todos os seus discípulos o abandonaram. Na cruz, ele estava completamente sozinho, rodeado de malfeitores e zombadores. Foi para isso que ele veio: para trazer a paz aos inimigos de Deus. Do mesmo modo, não cabe ao cristão o isolamento de uma vida monástica, mas a vida em meio aos inimigos. É ali que ele encontra a sua missão, o seu trabalho. "O domínio deve ocorrer entre os inimigos. E quem não estiver disposto a isso, esse não quer fazer parte do domínio de Cristo. Esse quer estar entre amigos, ficar sentado num mar de rosas, longe dos maus e na companhia de gente piedosa. Escutem bem, seus blasfemadores e traidores de Cristo! Se Cristo tivesse feito o que vocês fazem, quem poderia ter sido salvo?" (Lutero).

"Eu os semearei entre os povos, para que se lembrem de mim em lugares distantes" (Zc 10.9). De acordo com a

[1] Bonhoeffer cita conforme a tradução de Lutero. Como o autor tende a basear sua argumentação nas formulações por vezes peculiares de Lutero, procuramos traduzir o texto da tradução alemã citada.

vontade de Deus, o povo cristão é um povo disperso, espalhado como uma semente entre "todos os reinos da terra" (Dt 28.25). Essa é a sua maldição e também a promessa que recebeu. O povo de Deus tem de viver em terras distantes, em meio aos que não creem, mas esse povo será a semente do reino de Deus em todo o mundo.

"Eu os reunirei, porque quero salvá-los [...] eles irão voltar" (Zc 10.8,9). Quando isso acontecerá? Já aconteceu, em Jesus Cristo, que morreu para que "reunisse os filhos de Deus, que estavam dispersos" (Jo 11.52). E, por fim, isso se tornará algo visível no fim dos tempos, quando os anjos de Deus reunirão os escolhidos dos quatro ventos, de uma extremidade dos céus até a outra (Mt 24.31). Até aquele dia, o povo de Deus permanece na dispersão e se mantém unido unicamente em Jesus Cristo, feito um só corpo para que, semeado entre aqueles que não creem, *dele* se lembrem em terras distantes.

Assim, o fato de, no tempo que vai da morte de Cristo ao dia do juízo, cristãos já poderem viver em comunhão visível com outros cristãos é simplesmente uma graciosa antecipação das coisas do fim. Deus, em sua graça, permite que neste mundo uma comunidade cristã se reúna visivelmente em torno da Palavra de Deus e do Sacramento. Nem todos os cristãos têm acesso a essa graça. Os encarcerados,[2] os enfermos, os solitários na dispersão, os pregadores do evangelho em terras pagãs, todos esses estão sozinhos. Sabem que comunhão visível é graça. Oram com o salmista: "Pois eu gostaria de ir com a multidão e dirigir-me em procissão à casa

[2]Em 1938, quando Bonhoeffer escreveu este livro, muitos pastores da Igreja Confessante, inclusive ex-alunos de Finkenwalde, estavam presos.

de Deus, com gritos de alegria e de ação de graças, em meio à multidão daqueles que festejam" (Sl 42.4). Mas eles continuam sozinhos, em terras distantes, uma semente espalhada segundo a vontade de Deus. No entanto, aquilo que lhes é negado como experiência concreta, isso eles captam com maior intensidade por meio da fé. Assim, no isolamento da ilha de Patmos, João, um banido discípulo do Senhor, celebra o culto celestial com as suas igrejas. Ele o faz "no Espírito, no dia do Senhor" (Ap 1.10). João vê os sete candelabros, que são as suas igrejas, e vê também as sete estrelas, que são os anjos das igrejas, e no meio e por cima de tudo ele vê o Filho do Homem, Jesus Cristo, na glória excelsa daquele que é o Ressuscitado. Cristo o consola e anima por meio de sua palavra. Essa é a comunhão celestial, da qual o discípulo banido participa, no dia em que se celebra a ressurreição de seu Senhor.

Para o crente, a presença física de outros cristãos é fonte de incomparável alegria e encorajamento. Com muita saudade, o apóstolo Paulo, agora prisioneiro e nos últimos dias de sua vida, pede que Timóteo, seu "amado filho na fé", venha visitá-lo na prisão. Quer revê-lo e tê-lo ao seu lado. Paulo nunca esqueceu as lágrimas que Timóteo havia derramado quando da última despedida (2Tm 1.4). Em outra ocasião, Paulo afirmou que, lembrando-se da igreja de Tessalônica, orava "dia e noite, com máximo empenho, para poder ir vê-los pessoalmente" (1Ts 3.10). E o presbítero João sabe que a sua alegria pelos seus apenas será completa quando puder visitá-los e conversar com eles pessoalmente, em vez de fazer isso por meio de papel e tinta (2Jo 1.12). Não é nenhuma vergonha para o crente — como se ainda fosse demasiadamente carnal — ter o desejo de encontrar-se face a face com outros cristãos. O ser humano foi criado com um corpo. O Filho de Deus, quando veio ao mundo por nossa causa, veio num corpo. Ele foi ressuscitado no corpo. Em seu corpo, o crente recebe Cristo no Sacramento, e a ressurreição dos mortos trará a comunhão plena das criaturas de Deus, que são constituídas de corpo e espírito. Por isso, diante da presença física de um irmão, o crente louva o Criador, o Redentor e Reconciliador, Deus Pai, Filho e Espírito Santo. Aquele que está preso, o enfermo, o cristão na dispersão, cada um desses reconhece na presença de um irmão na fé um sinal gracioso e visível da presença do Deus trino. Tanto quem faz a visita quanto quem é visitado no isolamento reconhecem mutuamente o Cristo, que está presente no corpo. Eles se encontram e acolhem mutuamente assim como alguém encontra o Senhor: com respeito, humildade e alegria. Eles se abençoam mutuamente com a bênção do Senhor Jesus Cristo. O simples encontro de um irmão com outro irmão já é uma grande felicidade. Diante disso, a possibilidade de, pela vontade de Deus, viver em comunhão diária com outros cristãos é de fato uma bênção de riqueza inesgotável! É verdade que aquilo que para o solitário é uma indescritível bênção de Deus facilmente é ignorado e desprezado por aqueles que têm o privilégio de viver em comunhão diária. Facilmente esquecemos que a comunhão dos irmãos na fé é um dom gracioso do reino de Deus, que pode nos ser tirado a qualquer momento.[3] Facilmente esquecemos que pode ser muito breve o tempo que nos separa da mais profunda solidão. Assim, quem até o presente momento ainda pode viver

[3] Esta reflexão de Bonhoeffer parece inspirada no fato de que, durante a breve existência do Seminário de Finkenwalde, nem todos se mostravam entusiasmados com essa "vida comunitária".

em comunhão cristã com outros crentes, esse deve exaltar a graça de Deus do fundo de seu coração. Esse deve, de joelhos, agradecer a Deus e reconhecer que é graça, nada mais que graça, o fato de hoje ainda podermos viver na comunhão dos irmãos na fé.

Deus concede o dom da comunhão visível em diferentes medidas. O cristão na dispersão é consolado por uma breve visita de um irmão na fé, uma oração feita em conjunto e uma bênção proferida por esse irmão. Sim, ele deriva forças também de uma carta escrita por um irmão na fé. A saudação que Paulo escrevia de próprio punho ao final de suas cartas era também sinal desse tipo de comunhão. Outros recebem o dom da comunhão no culto dominical. Ainda outros podem viver a vida cristã na comunhão de sua família. Jovens estudantes de teologia recebem durante algum tempo, antes da ordenação ao ministério, o dom da vida em comunhão com seus irmãos. Cristãos consagrados sentem hoje o desejo de, nos intervalos do trabalho, encontrar algum tempo para se encontrar com outros cristãos para um momento de comunhão sob a Palavra. A vida em comunhão está sendo vista outra vez pelos cristãos de hoje como um dom da graça de Deus, que é o que essa comunhão de fato é, a saber, o extraordinário, o "mar de rosas" da vida cristã (Lutero).

Comunhão cristã significa comunhão por meio de Jesus Cristo e em Jesus Cristo. Não existe comunhão cristã que seja mais do que isso ou que seja menos do que isso. Seja na forma de um único e breve encontro, seja na forma de uma comunhão diária ao longo de anos, a comunhão cristã não é outra coisa senão isso. Pertencemos uns aos outros unicamente por meio de Cristo e em Cristo.

O que significa isso? Significa três coisas. *Em primeiro lugar*, que um cristão necessita do outro por causa de Jesus Cristo. *Segundo*, significa que um cristão alcança outro cristão apenas por meio de Jesus Cristo. *Terceiro*, significa que fomos eleitos em Jesus Cristo desde a eternidade, que fomos aceitos por ele neste tempo e que permaneceremos unidos por toda a eternidade.

Em primeiro lugar, o cristão é aquele que busca a sua salvação, a sua redenção, a sua justiça não mais em si mesmo, mas unicamente em Jesus Cristo. Sabe que a Palavra de Deus em Jesus Cristo o declara culpado, também quando ele não percebe ou não sente nenhuma culpa pessoal. Sabe também que a Palavra de Deus em Jesus Cristo o declara livre e justo, mesmo quando ele não sente nada em termos de justiça pessoal.[4] O cristão não vive mais a partir de si mesmo, isto é, a partir de uma condenação que provém dele próprio e a partir de uma justificação própria; ele vive a partir da condenação e da justificação que vêm de Deus. Vive unicamente a partir da Palavra de Deus a respeito dele, em confiante submissão à sentença de Deus, seja ela uma palavra de condenação, seja uma palavra de justificação. A morte e a vida do cristão não são determinadas a partir dele próprio. Pelo contrário, ele encontra tanto a morte quanto a vida unicamente na Palavra, essa Palavra que se dirige a ele vinda de fora, a saber, a Palavra de Deus que se dirige a ele. Os teólogos da Reforma expressaram isso assim: nossa justiça é uma "justiça alheia", uma justiça que vem de fora (*extra nos*). Com isso deixaram claro que o cristão depende da Palavra de Deus que lhe é

[4] Esse caráter objetivo de culpa e justiça, ou seja, o fato de independer da percepção da pessoa, é uma ênfase de Lutero. Aqui, como em tantos outros lugares, Bonhoeffer deixa transparecer sua herança luterana.

anunciada. Ele se orienta para fora, na direção da Palavra que se dirige a ele. O cristão vive unicamente da verdade da Palavra de Deus em Jesus Cristo. Se alguém perguntar ao crente: “Em que consiste a sua salvação, a sua felicidade, a sua justiça?”, ele nunca poderá apontar para si mesmo. Pelo contrário, aponta para a Palavra de Deus em Jesus Cristo, a qual lhe promete salvação, felicidade, justiça. Em todos os momentos, fica com os olhos voltados para essa Palavra. Visto que diariamente tem fome e sede de justiça, sempre de novo ele busca essa Palavra redentora. E essa Palavra só pode vir de fora. Em e por si mesmo ele é pobre e está morto. A ajuda precisa vir de fora. E ela já veio e vem sempre de novo, dia a dia, na Palavra de Jesus Cristo, a qual nos traz redenção, justiça, inocência e felicidade.

No entanto, Deus colocou essa Palavra na boca de pessoas, para que seja passada adiante ou anunciada entre as pessoas. Se alguém é alcançado por essa Palavra, logo passa essa Palavra adiante. A vontade de Deus é que busquemos e encontremos sua Palavra viva no testemunho de um irmão, isto é, na palavra falada por pessoas. Por isso o cristão necessita de outro cristão, que lhe fale a Palavra de Deus. Ele necessita desse irmão sempre de novo, quando passa a ter dúvidas ou fica desanimado. Porque ele não encontra ajuda em si mesmo, a menos que queira enganar-se quanto à verdade. Ele necessita do irmão como mensageiro e proclamador da palavra divina que salva. O crente necessita do irmão unicamente por causa de Jesus Cristo. O Cristo que está em meu coração é mais frágil do que o Cristo que está na palavra falada pelo irmão. O que está em meu coração é inseguro; o que o irmão anuncia é garantido. Desse modo aparece também com clareza o objetivo da comunhão dos cristãos: eles se encontram como proclamadores da mensagem da salvação. É nessa condição que Deus permite que eles se reúnam e lhes concede a dádiva da comunhão. É apenas por meio de Jesus Cristo e com base na "justiça alheia" que essa comunhão cristã se sustenta. Apenas podemos dizer isto: a comunhão dos cristãos deriva unicamente da mensagem bíblica, enfatizada pelos teólogos da Reforma, de que a justificação do ser humano se dá unicamente pela graça de Deus. É nela, e tão somente nela, que se fundamenta esse anseio dos cristãos de estarem uns na companhia dos outros.

Em segundo lugar, um cristão entra em contato com outro cristão apenas por meio de Jesus Cristo. Entre as pessoas reina o conflito. "Ele é a nossa paz" (Ef 2.14), escreve Paulo a respeito de Jesus Cristo. Nele, a humanidade havia muito dividida se tornou una outra vez. Sem Cristo, reina discórdia entre Deus e os seres humanos e entre uma pessoa e outra pessoa. Cristo se tornou o mediador e ele trouxe paz com Deus e paz entre os seres humanos. Sem Cristo, não teríamos conhecimento de Deus, não poderíamos invocá-lo, não poderíamos nos aproximar de Deus. Sem Cristo, também não teríamos conhecimento do irmão e não teríamos contato com ele. O caminho estaria bloqueado pelo próprio eu. Cristo desobstruiu o caminho que leva a Deus e ao irmão. Agora os cristãos podem viver em paz, uns na companhia dos outros. Podem amar e servir uns aos outros, podem se tornar um. Mas de agora em diante eles podem fazer isso unicamente por meio de Jesus Cristo. Apenas em Jesus Cristo somos um, apenas por meio dele estamos ligados uns aos outros. Ele é o único mediador e o será por toda a eternidade.

Em terceiro lugar, quando o Filho de Deus se fez carne, ele assumiu o nosso ser, a nossa natureza, unicamente por graça.

Ele nos assumiu, e fez isso de verdade e corporalmente. Essa foi a decisão eterna do Deus trino. Agora nós estamos nele. Onde ele está, ali ele leva consigo a nossa carne, ali ele nos tem consigo. Onde ele está, ali estamos também nós, na encarnação, na cruz e na sua ressurreição. Pertencemos a ele, porque estamos nele. Por isso as Escrituras nos chamam de corpo de Cristo. Mas se, antes mesmo de podermos e querermos saber a respeito disso, fomos eleitos e aceitos com toda a igreja em Cristo Jesus, então também pertencemos a Cristo, na companhia uns dos outros, por toda a eternidade. Nós, os que aqui vivemos na comunhão de Cristo, estaremos depois com ele, em eterna comunhão. Na presença do irmão, devemos saber que estaremos eternamente unidos com ele, em Jesus Cristo. Comunhão cristã significa comunhão por meio de Jesus Cristo e em Jesus Cristo. Sobre esse pressuposto repousa tudo o que a Bíblia tem a dizer em termos de instruções e regras para a vida comunitária dos cristãos.

"Quanto ao amor fraternal, não há necessidade de que eu lhes escreva, porque vocês mesmos foram instruídos por Deus a amar uns aos outros. [...] Porém, irmãos, exortamos vocês a que progridam cada vez mais" (1Ts 4.9-10). Deus mesmo se encarregou da instrução a respeito do amor fraternal. A única coisa que as pessoas ainda podem acrescentar a isso é lembrar que essa instrução divina já foi dada e exortar a que se progrida cada vez mais. Quando Deus se mostrou misericordioso para conosco, quando ele nos revelou Jesus Cristo como nosso irmão, quando conquistou o nosso coração por meio do seu amor, nesse momento começou também a instrução no amor fraternal. No momento em que Deus foi misericordioso para conosco, aprendemos a ser misericordiosos com nossos irmãos. No momento em que recebemos perdão quando merecíamos condenação, Deus nos capacitou à prática do perdão mútuo. Aquilo que Deus fez para nós, isso passamos a ter como dívida em relação a nossos irmãos. Quanto mais tínhamos recebido, tanto mais podíamos passar adiante. Por outro lado, quanto mais pobre nosso amor fraternal, é claro que tanto menos vivíamos a partir da misericórdia e do amor de Deus. Portanto, foi o próprio Deus que nos ensinou a irmos ao encontro uns dos outros assim como ele veio ao nosso encontro em Cristo. "Acolham uns aos outros, assim como Cristo acolheu vocês para o louvor de Deus" (Rm 15.7).

A partir disso, aquele que foi colocado por Deus numa vida de comunhão com outros cristãos aprende o que significa ter irmãos. Paulo se dirige à sua igreja em termos de "irmãos no Senhor" (Fp 1.14). Somos irmãos uns dos outros apenas por meio de Jesus Cristo. Sou irmão do outro por meio daquilo que Jesus Cristo fez por mim e em mim; o outro é meu irmão por meio daquilo que Jesus Cristo fez por ele e nele. O fato de sermos irmãos unicamente por meio de Jesus Cristo é algo extremamente significativo. Quem é o irmão com o qual tenho de me importar dentro da comunidade? Não é aquele indivíduo bem-intencionado, piedoso e ávido por fazer parte de uma irmandade e que vem ao meu encontro, mas aquela pessoa que foi redimida por Cristo, absolvida de seus pecados e chamada para receber a fé e a vida eterna. Nossa comunhão não pode se fundamentar naquilo que o cristão é por si mesmo, em sua vida interior e piedade. Determinante para nossa irmandade é aquilo que somos a partir de Cristo. Nossa comunhão reside unicamente naquilo que Cristo realizou em nós, a saber, em mim e na outra pessoa. E isso é assim não apenas no começo, mas continua assim e permanece assim no futuro e por toda a eternidade. É impossível, com o passar do tempo, ainda acrescentar algo a essa nossa comunhão. Tenho e terei comunhão com o outro unicamente por meio de Jesus Cristo. Quanto mais autêntica e profunda a nossa comunhão, tanto mais passará a um segundo plano tudo o mais que nos conecta. Quanto mais autêntica e profunda a nossa comunhão, tanto mais, de forma clara e autêntica, terão relevância entre nós única e exclusivamente Jesus Cristo e sua obra. Temos um ao outro apenas por meio de Cristo, mas por meio de Cristo *temos* um ao outro também de verdade, temos um ao outro de forma plena e por toda a eternidade.

Isso faz com que todo tipo de busca obscura por algo mais seja descartado logo de saída. Quem deseja mais do que aquilo que Cristo estabeleceu entre nós não está em busca de comunhão cristã; está em busca de experiências extraordinárias de comunhão, que lhe foram negadas em outro lugar. Se alguém quiser algo assim, estará introduzindo desejos confusos e impuros na irmandade cristã. É nesse ponto que logo de saída a irmandade cristã se vê ameaçada pelo maior perigo, pelo mais profundo envenenamento, a saber, pela troca da irmandade cristã por um ideal de comunhão piedosa, pela mistura entre o anseio natural por comunhão, que é típico do coração piedoso, e a realidade espiritual da irmandade cristã. Para a irmandade cristã, tudo depende do fato de que desde o início esteja bem claro o que segue: *Em primeiro lugar, irmandade cristã não é um ideal, mas uma realidade divina; em segundo lugar, irmandade cristã é uma realidade de ordem espiritual, e não uma realidade de ordem psíquica.*

Muitas são as comunidades cristãs que fracassaram porque viveram a partir de um ideal de comunhão. Especialmente o cristão sério, que pela primeira vez é inserido num contexto de vida comunitária cristã, muitas vezes traz consigo uma visão definida do tipo de vida cristã em comunhão, visão essa que ele procura tornar realidade. Mas a graça de Deus faz com que todos esses sonhos rapidamente se dissipem. Na medida em que Deus quer nos levar ao conhecimento da autêntica comunhão cristã, é necessário que experimentemos a grande decepção quanto aos outros, quanto aos cristãos em geral e, se tivermos essa felicidade, também em relação a nós mesmos. Em sua graça, Deus não permite que vivamos, nem mesmo por algumas semanas, uma realidade idealizada em que nos entregamos a experiências inebriantes e arroubos de felicidade, que se abatem sobre nós como um êxtase. Porque Deus não é um Deus que desperta emoções, mas o Deus da verdade. Quando uma comunhão passa por essa grande decepção, com todas as suas más e desagradáveis experiências, nesse momento ela começa a ser aquilo que deve ser na presença de Deus. Nesse momento ela começa a perceber a promessa que lhe foi dada, na fé. Quanto mais cedo essa decepção sobrevier ao indivíduo e à comunidade como um todo, tanto melhor para ambos. No entanto, se uma comunidade não consegue suportar e sobreviver a essa decepção, apegando-se à visão ideal quando esta lhe tiver de ser tirada, essa comunidade perde no mesmo instante a promessa da comunhão cristã que perdura. Cedo ou tarde essa comunidade se desfaz. Toda visão idealizada tipicamente humana que for trazida para dentro da comunidade cristã impedirá a genuína comunhão e precisará ser descartada. Sem isso, a genuína comunhão não poderá existir. Quem ama mais a sua visão idealizada de uma comunhão cristã do que a própria comunhão cristã acaba sendo um destruidor dessa comunhão cristã. Nada altera isso, nem mesmo a honestidade, seriedade e dedicação desse indivíduo.

Deus odeia esses sonhos ou essas visões idealizadas, porque levam ao orgulho e à presunção. Quem idealiza ou sonha com um modelo de comunhão acaba por exigir de Deus, dos outros e de si mesmo a concretização desse ideal. Esse indivíduo aparece em meio à comunhão dos cristãos como alguém que faz exigências. Promulga uma lei própria e de acordo com ela julga os irmãos e o próprio Deus. Mostra-se rígido e aparece em meio aos irmãos como uma acusação viva para todos. Age como se primeiro tivesse de estabelecer a comunhão cristã, como se a visão que idealizou devesse unir as pessoas. Tudo aquilo que não ocorre segundo a sua vontade ele considera um fracasso. No momento em que a visão idealizada é destruída, entende que a comunhão se desfaz. Assim, ele se torna inicialmente acusador de seus irmãos, depois acusador de Deus e por fim, em desespero, acusador de si mesmo. Deus já lançou o único fundamento de nossa comunhão. Há muito, antes de entrarmos na vida em comunhão com outros cristãos, Deus nos uniu com esses cristãos em um só corpo em Jesus Cristo. Por isso, entramos na vida em comunhão com outros cristãos como aqueles que recebem e agradecem, e não como aqueles que exigem. Agradecemos a Deus por aquilo que ele operou em nós. Agradecemos a Deus por nos dar irmãos que vivem a partir do chamado que ele lhes fez, sob o perdão que ele concede e à luz da promessa que ele fez. Não nos queixamos a respeito daquilo que Deus não nos dá, mas agradecemos a Deus por aquilo que ele nos dá a cada novo dia.

E será que não basta o que nos foi dado, a saber, irmãos que, como pecadores e necessitados, vivem conosco sob a bênção da graça de Deus? Será que o dom de Deus que consiste nessa comunhão cristã não é algo extraordinário, a cada dia, inclusive nos dias mais difíceis? Pecado e incompreensão ameaçam a vida em comunhão. Mas será que o irmão que peca não continua a ser o irmão com o qual, em comunhão fraterna, dependo da Palavra de Cristo? E será que o pecado dele não pode vir a ser um motivo sempre renovado de dar graças, por ambos termos a possibilidade de viver sob o amor perdoador de Deus em Jesus Cristo? Será que o momento da grande decepção quanto ao irmão não pode se tornar algo incomparavelmente salutar para mim? É claro que sim. Porque esse momento me ensina fundamentalmente que ambos, ele e eu, nunca podemos viver a partir de nossas palavras e ações, mas unicamente a partir daquela uma Palavra e daquele um ato, a saber, do perdão dos pecados em Jesus Cristo. E essa Palavra e esse ato é o que na verdade nos une. Onde o nevoeiro dos quadros idealizados se desfaz, ali aparece o sol esplendoroso da comunhão cristã.

Quando se trata de agradecer, o que ocorre na comunhão cristã não difere do que se passa no restante da vida cristã. Somente quem agradece pelas pequenas coisas recebe também as grandes. Impedimos que Deus nos conceda os grandes dons espirituais, que ele tem preparado para nós, por não agradecermos pelos dons diários. Pensamos que não deveríamos nos dar por satisfeitos com a dádiva de uma porção reduzida de conhecimento espiritual, experiência e amor. Pensamos que deveríamos sempre voltar os olhos, cheios de desejo, apenas para os dons maiores. Passamos, então, a nos queixar que nos falta a certeza inabalável, a fé robusta e a experiência rica — dons que Deus concedeu a outros cristãos. E ainda pensamos que essa queixa é piedosa! Pedimos os dons maiores e nos esquecemos de agradecer pelos dons diários, que são pequenos, embora na verdade não tenham nada de pequeno! Mas como poderia Deus confiar o que é grande àquele que não recebe de sua mão, com gratidão, aquilo que é pequeno? Se não agradecemos diariamente pela comunhão cristã em que fomos colocados, impedimos que Deus faça a nossa comunhão crescer segundo a medida e a riqueza que está preparada para todos nós em Jesus Cristo. Podemos ser levados a nos esquecer de agradecer em situações em que não temos experiências espetaculares, riqueza perceptível, mas onde reina muita fraqueza, ausência de fé robusta e não poucas dificuldades. Podemos incorrer nesse erro, se sempre e apenas nos queixamos diante de Deus pelo fato de tudo ser tão miserável, tão simples, tão distante daquilo que tínhamos esperado. Isso se aplica de forma especial também à costumeira queixa de pastores e de membros consagrados da igreja a respeito de sua comunidade de fé. Um pastor jamais deve se queixar a respeito de sua igreja, certamente não diante das pessoas e muito menos diante de Deus. Não foi para isso que uma igreja lhe foi confiada, ou seja, não para que ele seja alguém que acusa a igreja diante de Deus e das pessoas. Quem se irrita com a comunhão cristã em que foi colocado, passando a se queixar em relação a ela, esse deveria primeiramente verificar se não está operando com uma visão idealizada de comunhão, que Deus terá de desfazer. Se esse é o caso, então que agradeça a Deus, por tê-lo levado a reconhecer essa situação. Se esse não for o caso, deveria tomar cuidado para que nunca venha a se tornar alguém que acusa a igreja de Deus. Ao contrário, deveria acusar a si mesmo por sua falta de fé. Deveria pedir a Deus reconhecimento de seu próprio fracasso e desse seu pecado. Deveria orar, pedindo que não se torne motivo de escândalo para seus irmãos. Em reconhecimento de sua própria culpa, deveria interceder por seus irmãos. Deveria realizar a tarefa que lhe foi entregue e ser grato a Deus.

Com a comunhão cristã ocorre algo semelhante ao que ocorre com a santificação dos cristãos. Essa comunhão é um presente de Deus, sobre o qual não temos direito algum. Somente Deus sabe como anda a nossa comunhão e como anda a nossa santificação. Aquilo que nos parece fraco e insignificante pode ser grande e glorioso aos olhos de Deus. O cristão não deve ficar constantemente tomando o pulso de sua vida espiritual. O mesmo se aplica à comunhão cristã: ela não nos foi presenteada por Deus para que fiquemos o tempo todo medindo a temperatura. Quanto mais recebermos, com gratidão, dia a dia, aquilo que nos é dado, tanto mais a comunhão crescerá e aumentará, de modo firme e consistente, dia a dia, segundo a vontade de Deus.

A irmandade cristã não é um ideal que nós temos de tornar realidade. Pelo contrário, é uma realidade criada por Deus em Cristo, da qual temos o privilégio de participar. Quanto mais clara for a nossa compreensão de que apenas Jesus Cristo é a base, a força e a promessa de nossa comunhão, tanto mais calmamente aprenderemos a refletir sobre a nossa comunhão, a orar e esperar por ela.

Por estar fundamentada unicamente em Jesus Cristo, a comunhão cristã é uma realidade pneumática e não psíquica. Nisso a comunhão cristã se distingue radicalmente de qualquer outra comunhão. As Escrituras chamam de pneumático, isto é, "espiritual", tudo aquilo que é realizado unicamente pelo Espírito Santo, que coloca Jesus Cristo como Senhor e Salvador em nosso coração. As Escrituras denominam de psíquico ou "natural" aquilo que deriva de desejos, forças e capacidades naturais da alma humana.

A base de toda e qualquer realidade pneumática ou espiritual é a clara Palavra de Deus, revelada em Jesus Cristo. A base de toda e qualquer realidade psíquica ou natural é o confuso e obscuro impulso e desejo da alma humana. O fundamento da comunhão espiritual é a verdade; o fundamento da comunhão natural é o desejo. A essência da comunhão espiritual é a luz. Porque "Deus é luz, e não há nele treva nenhuma" (1Jo 1.5), e "se andarmos na luz, como ele está na luz, mantemos comunhão uns com os outros" (1Jo 1.7). A essência da comunhão natural é a escuridão, "porque de dentro, do coração das pessoas, é que procedem os maus pensamentos" (Mc 7.21). São as densas trevas que se estendem sobre a fonte de toda a atividade humana e até mesmo sobre todos os impulsos mais nobres e piedosos. Comunhão espiritual é a comunhão daqueles que foram chamados por Cristo; comunhão psíquica ou natural é a comunhão de almas piedosas. Na comunhão espiritual reina *agápe*, o puro amor do serviço fraterno; na comunhão natural vigora *eros*, o obscuro amor do desejo que é ao mesmo tempo ímpio e piedoso. Lá, na comunhão espiritual, há serviço fraterno de forma ordenada; aqui, na comunhão natural, há busca desordenada de prazer. Lá, a humilde submissão ao irmão; aqui, a submissão do irmão aos meus desejos, numa combinação de humildade e orgulho. Na comunhão espiritual reina absoluta a Palavra de Deus; na comunhão natural reina, ao lado da Palavra, o ser humano provido de poderes e experiências especiais, além de recursos de ordem sugestivo-mágicos. Lá, quem vincula é unicamente a Palavra de Deus; aqui, ao lado da Palavra, pessoas vinculam os outros a si mesmos. Lá, todo poder, honra e domínio é entregue ao Espírito Santo; aqui, o que se busca e valoriza são esferas de poder e influência de ordem pessoal. Tudo isso, é claro, na medida em que se trata de pessoas piedosas, na perspectiva de que se está a serviço do que é mais nobre e melhor, mas, na verdade, unicamente para destronar o Espírito Santo, para relegá-lo à mais distante irrealidade. Nesse caso, o que resta é, na verdade, apenas aquilo que é natural. Assim, na comunhão espiritual o comando é do Espírito Santo; na comunhão natural, das técnicas ou do método psicológico. Lá, o amor que ajuda o próximo, amor singelo, anterior a qualquer método psicológico; aqui, a análise e construção psicológica. Lá, o humilde e simples serviço prestado ao irmão; aqui, o tratamento inquisitivo e calculado que se dispensa à pessoa que é vista como desconhecida.

É possível que o contraste entre realidade espiritual e realidade natural fique mais claro à luz da seguinte observação: na comunhão espiritual nunca e de forma alguma existe uma relação "imediata" ou "direta" entre uma pessoa e outra, ao passo que na comunhão natural existe um profundo e primordial anseio por comunhão, por contato imediato ou direto com a psique de outras pessoas. Isso é semelhante ao desejo da carne, que procura unir-se diretamente com o que lhe é semelhante. Esse anseio da alma humana busca a fusão completa entre o eu e o tu, tanto na forma da união do amor quanto (e isso acaba sendo mais do mesmo) na forma de violência em relação ao outro, que é submetido ao meu poder ou inserido em minha esfera de influência. Na comunhão natural, quem é psicologicamente forte se realiza e causa admiração naquele que é fraco, seja na forma de amor, seja na forma de medo. Aqui, o que conta são relações humanas, influência e dependência, fazendo com que, na comunhão imediata das psiques, apareça de forma caricata tudo aquilo que primordialmente e tão somente é próprio da comunhão mediada por Cristo.

Existe também uma conversão "natural" ou "psíquica". Ela se apresenta com todo o jeito de uma conversão autêntica e ocorre sempre que por meio de abuso consciente ou inconsciente alguém consegue abalar profundamente um indivíduo ou uma comunidade inteira, trazendo-os para dentro de sua esfera de influência. Nesse caso, uma psique atuou diretamente sobre outra psique. O forte se impôs ao fraco, a resistência de quem é mais fraco foi vencida pelo impacto causado pelo outro. O fraco sofreu violência, mas não foi convencido pela causa em si. Isso se torna visível no momento em que se faz necessário algum comprometimento em relação à causa, algo que esteja desvinculado da pessoa com a qual estou vinculado, ou quem sabe até mesmo em oposição a essa pessoa. Nesse momento, aquele que passou por uma conversão "natural" entra em crise, deixando claro que a sua conversão foi operada por um ser humano e não pelo Espírito Santo e que essa conversão é como fogo de palha, ou seja, não será duradoura.

Do mesmo modo, existe um amor ao próximo que é "natural" ou "psíquico". É um amor capaz de sacrifícios extraordinários, que muitas vezes supera em muito o autêntico amor cristão no que diz respeito a entrega e resultados palpáveis. É um amor que fala a linguagem cristã com veemente e apaixonada eloquência. Mas é aquele amor do qual Paulo afirma: "E ainda que eu distribua todos os meus bens aos pobres e entregue o meu corpo para ser queimado" (1Co 13.3) — isto é, se eu reunisse os feitos mais grandiosos do amor com uma dedicação extrema — "se não tiver amor (a saber, o amor que deriva de Cristo), nada serei" (1Co 13.2). No amor natural, ama-se a outra pessoa em função de interesse pessoal; no amor espiritual, o outro é amado por causa de Cristo. Por isso, o amor natural busca um contato não mediado com a outra pessoa. O amor natural não ama a outra pessoa em sua liberdade, mas como alguém que está ligado a ele. O amor natural quer por todos os modos sair vitorioso, quer conquistar. Sufoca o outro, quer ser irresistível, quer dominar. O amor natural não dá muita importância à verdade. Relativiza a verdade, porque nada, nem mesmo a verdade, deve aparecer como obstáculo entre o amor e a pessoa amada. O amor natural deseja a outra pessoa, anseia por comunhão com ela, espera uma contrapartida de amor, mas não se coloca a serviço da outra pessoa. Esse amor é manifestação de desejo até mesmo quando parece estar a serviço do outro.

Há duas coisas, que na verdade são uma só e a mesma coisa, que mostram a diferença entre amor espiritual e amor natural: em primeiro lugar, o amor natural não pode suportar a destruição de uma comunhão que, tendo em vista a comunhão verdadeira, passou a ser falsa; em segundo lugar, o amor natural não consegue amar o inimigo, a saber, aquele que de forma séria e obstinada lhe oferece resistência. As duas coisas procedem da mesma fonte: o amor natural é, em sua essência, desejo, aquela busca por comunhão natural. Enquanto o amor natural ainda puder de alguma forma satisfazer esse desejo, não abrirá mão dele, nem mesmo por causa da verdade, nem mesmo por causa do verdadeiro amor ao próximo. Mas quando cessa a expectativa de satisfação desse desejo, o amor natural acaba. E isso ocorre quando ele encontra o inimigo. Nesse momento o amor se transforma em ódio, desprezo e calúnia.

Mas é precisamente nesse ponto que entra em cena o amor espiritual. Por isso o amor natural se transforma em ódio pessoal, ao deparar com o genuíno amor espiritual, que não deseja, mas que se coloca a serviço. O amor natural se transforma num fim em si mesmo, se torna uma obra, um ídolo que quer ser adorado e ao qual tudo deve ser submetido. O amor natural zela, cultiva, ama a si mesmo e nada mais neste mundo. O amor espiritual, por sua vez, procede de Jesus Cristo, serve a ele unicamente. O amor espiritual sabe que não tem acesso imediato à outra pessoa. Cristo está colocado entre mim e a outra pessoa. O significado do amor ao próximo não é conhecido de antemão a partir de um conceito genérico de amor, derivado de meu anseio natural. Afinal de contas, aos olhos de Cristo tudo isso pode ter a aparência de ódio ou de egoísmo da pior espécie. O significado do amor é conhecido unicamente a partir do que Cristo me diz em sua Palavra. Em contraste com as minhas ideias e convicções, Jesus Cristo me diz o que é de verdade o amor ao irmão. Por isso, o amor espiritual se apega unicamente à Palavra de Jesus Cristo. Se Cristo me pede para estabelecer comunhão por causa do amor, eu o farei. Se a verdade de Cristo por causa do amor me pede para romper a comunhão, eu o farei, apesar do protesto de meu amor natural. Por colocar-se a serviço em vez de desejar, o amor espiritual ama o inimigo assim como ama o irmão. Esse amor não deriva nem do irmão nem do inimigo; deriva de Cristo e sua Palavra. O amor natural nunca consegue entender o amor espiritual, porque o amor espiritual vem do alto e, à vista do amor deste mundo, é algo totalmente estranho, novo e incompreensível.

Uma vez que Cristo está colocado entre mim e a outra pessoa, não devo buscar comunhão imediata ou não mediada com essa pessoa. Assim como apenas pude ser socorrido pela palavra de Cristo que me foi dirigida, também essa outra pessoa só pode ser socorrida pelo próprio Cristo. Isso significa, no entanto, que não devo fazer nenhuma tentativa de, com o meu amor, manipular, forçar ou dominar essa outra pessoa. Nessa sua liberdade em relação a mim, a outra pessoa será amada por ser quem ela é, a saber, uma pessoa pela qual Cristo se fez homem, morreu e ressuscitou; uma pessoa para a qual Cristo conseguiu perdão dos pecados e preparou uma vida eterna. Uma vez que Cristo há muito agiu de forma decisiva na vida de meu irmão, antes que eu pudesse começar a fazer algo, devo deixar esse meu irmão livre para ser de Cristo. Devo encontrar esse irmão unicamente como a pessoa que ela já é para Cristo. Esse é o significado da afirmação de que podemos encontrar o outro apenas na mediação efetuada por Cristo. O amor natural cria uma imagem da outra pessoa, daquilo que ela é e daquilo que ela deve se tornar. O amor natural quer manipular a vida da outra pessoa. O amor espiritual reconhece a verdadeira imagem da outra pessoa a partir de Jesus Cristo. Essa imagem é aquela que Jesus Cristo moldou e ainda quer moldar.

Assim, o amor espiritual se manifesta nisto: em tudo que diz e faz, entrega a outra pessoa a Cristo. Não tentará causar um impacto psicológico na outra pessoa por meio de influência pessoal e direta, por meio de uma interferência ilegítima na vida do outro. O amor espiritual não se alegra com efervescência e agitação piedosa e natural. Pelo contrário, dirige-se ao outro com a clara palavra de Deus e está disposto a deixar que ele passe longo tempo a sós com essa palavra, deixando-o outra vez livre, para que Cristo atue na vida dele. O amor espiritual respeita o limite do outro, limite esse que foi colocado entre nós por meio de Cristo, e encontrará comunhão plena com o outro em Cristo, que é o único que nos une e vincula. Assim, o amor espiritual mais fala com Cristo a respeito do irmão do que ao irmão a respeito de Cristo. O amor espiritual sabe que o acesso mais rápido ao outro sempre passa pela oração dirigida a Cristo, e que o amor ao outro está totalmente vinculado à verdade em Cristo. A respeito desse amor fala o discípulo João: "Não tenho maior alegria do que esta, a de ouvir que meus filhos andam na verdade" (3Jo 1.4).

O amor natural se alimenta de desejos obscuros, que são descontrolados e impossíveis de se controlar; o amor espiritual vive na claridade do serviço que foi ordenado por meio da *verdade*. O amor natural produz submissão, dependência, tensão; o amor espiritual promove a *liberdade* do irmão sob a Palavra. O amor natural produz flores cultivadas em estufa; o amor espiritual produz os *frutos* saudáveis que se desenvolvem a céu aberto, enfrentando a chuva, as tempestades e recebendo a luz do sol, segundo a vontade de Deus.

Cada comunidade cristã se defronta com a seguinte questão existencial: conseguir desenvolver a capacidade de fazer distinção entre ideal humano e realidade divina, e entre comunhão natural e espiritual. Para uma comunidade cristã, alcançar o mais rapidamente possível uma visão sóbria a respeito disso é questão de vida ou morte. Em outras palavras, a vida comunitária sob a Palavra apenas continuará saudável na medida em que ela não se manifestar como um movimento, uma ordem, uma associação, um *collegium pietatis*. Ela apenas continuará saudável, se entender que é parte da igreja cristã, que é una, santa e universal, participando de forma ativa e passiva das dificuldades, da luta e da promessa de toda a igreja.[5] Qualquer tendência separatista e todo tipo de isolamento relacionado com essa tendência representa um grande risco para a comunidade cristã, a menos que isso se justifique de forma bem objetiva por causa de trabalho comunitário, por condições locais ou por relacionamento familiar. Quando se busca isolamento espiritual, aquilo que é natural sempre volta a se intrometer e priva a comunhão de seu poder espiritual e de sua eficácia para a igreja, levando ao sectarismo. Excluir da comunidade cristã aquele que é fraco e insignificante, aquele que parece ser inútil, pode muito bem significar a exclusão de Cristo, que bate à nossa porta por meio do irmão pobre. Logo, em relação a isso todo cuidado é pouco!

Um observador desatento poderia ser levado a pensar que a mistura entre o que é idealizado e o que é real, entre o natural e o espiritual, pode ocorrer mais facilmente onde uma comunhão está estruturada em diferentes níveis. Em outras palavras, ali onde — a exemplo do que ocorre no casamento, na família e na amizade — aquilo que é natural já tem por si mesmo uma importância central para a existência da comunhão e onde o espiritual apenas é acrescentado ao que é humano ou natural. Assim, aparentemente só haveria o risco de uma troca ou mistura das duas esferas nesse tipo de comunhão, ao passo que dificilmente haveria risco semelhante para uma comunhão que é unicamente de natureza espiritual. Mas pensar assim é uma grande ilusão. A experiência mostra — e um exame do assunto facilmente mostrará — que o oposto é verdadeiro. Em se tratando de um

[5] Bonhoeffer reflete e responde às suspeitas de sectarismo em Finkenwalde. Para ele, o objetivo da vida comunitária não era voltar-se para dentro, mas para fora, a serviço da igreja.

casamento, uma família, uma amizade, as pessoas envolvidas sabem muito bem quais são os limites da força que cria cada um desses relacionamentos. Se forem relacionamentos saudáveis, os envolvidos sabem muito bem onde termina o que é natural e onde começa o que é espiritual. O contraste entre comunhão humana ou natural e comunhão espiritual é conhecido. Por outro lado, o risco de inserir e misturar numa comunhão aquilo que é natural aumenta de forma significativa exatamente ali onde existe uma comunhão de natureza eminentemente espiritual. Uma vida comunitária que seja puramente espiritual não é apenas algo perigoso; é também um fenômeno absolutamente anormal. Onde a comunhão familiar natural ou a comunhão de trabalho sério e a vida cotidiana com suas exigências em relação aos que trabalham não forem levadas para dentro da comunhão espiritual, ali se fará necessária uma boa dose de vigilância e sobriedade. Por isso, a experiência mostra que é exatamente nos breves momentos de lazer ou em retiros que com muito mais facilidade se instaura aquele "momento natural". Nada é mais fácil do que despertar o êxtase da comunhão em uns poucos dias de vida comunitária, e ao mesmo tempo nada é mais fatal para a sadia e equilibrada vida comunitária dos irmãos no dia a dia.

Certamente não existe cristão que não receba de Deus a bênção de pelo menos uma vez na vida ter a feliz *experiência* da autêntica comunhão cristã. No entanto, neste mundo, tal experiência não passa de gracioso acréscimo ao pão de cada dia da vida comunitária cristã. Não podemos reivindicar essas experiências, e não é por causa dessas experiências que vivemos na companhia de outros cristãos. O que nos mantém unidos não é a experiência da irmandade cristã, mas a certa e segura confiança de que essa irmandade existe. Pela fé, compreendemos que o maior presente de Deus é o fato de que Deus agiu na vida de todos nós e continuará a agir. Isso faz com que fiquemos alegres e felizes, mas também nos capacita a abrir mão de toda e qualquer experiência, se Deus em algum momento não nos concedê-la. Estamos unidos na fé, e não na experiência.

"Veja como é bom e agradável quando irmãos vivem lado a lado em união." É dessa forma que as Escrituras exaltam a vida em comunhão sob a Palavra. Uma correta explicação das palavras "em união" precisa incluir o seguinte: "quando irmãos vivem lado a lado por meio de Cristo". Porque Jesus Cristo é o nosso único vínculo de união. "Ele é a nossa paz." Apenas por meio de Cristo temos acesso uns aos outros, alegria na presença uns dos outros, comunhão uns com os outros.

2

A comunhão ao longo do dia

De manhã, ó Deus, nós te louvamos,
e à noite também teu nome invocamos.
A nossa canção é singela, é verdade,
mas te exalta hoje e por toda a eternidade.

(Lutero, seguindo Ambrósio)

"Que a palavra de Cristo habite ricamente entre vocês" (Cl 3.16). No Antigo Testamento, o dia começa com o entardecer e termina quando outra vez o sol se põe. Esse é o tempo da espera. Para a igreja do Novo Testamento, o dia começa bem cedo, com o nascer do sol, e termina com o despontar da luz na manhã seguinte. Esse é o tempo do cumprimento, o tempo da ressurreição do Senhor. De noite, Cristo nasceu, uma luz que brilhou nas trevas. Por volta do meio-dia houve trevas, enquanto Cristo estava sofrendo e morrendo na cruz. No entanto, bem cedo na manhã da Páscoa, ele saiu do túmulo, vitorioso. "Ao surgir o sol com seu ardor, ressuscita Cristo, o Redentor. A noite do pecado terminou, e a luz da vida já raiou. Aleluia." Esse era o cântico da igreja no tempo da Reforma.[1] Cristo é o "Sol da justiça", que nasceu para a igreja

[1] Bonhoeffer cita a primeira estrofe do hino alemão *Früh morgens, da die Sonn' aufgeht* [Cedo de manhã, quando o sol se levanta], da autoria de Johann Heermann (1585–1647).

que o aguardava (Ml 4.2), e "aqueles que o amam brilham como o sol quando se levanta em seu esplendor" (Jz 5.31). A primeira hora da manhã pertence à igreja do Cristo ressuscitado. Quando surge a luz do dia, a igreja lembra aquela manhã em que a morte, o diabo e o pecado foram derrotados e nós fomos presenteados com vida nova e salvação.

Será que nós, que não sabemos mais o que é ter medo do escuro e respeitar a noite, conseguimos entender a grande alegria de nossos antepassados e dos cristãos dos primeiros tempos diante do retorno da luz, no começo de cada novo dia? Estamos dispostos a reaprender algo a respeito do louvor que, cedo de manhã, é devido ao Deus trino? Sim, há um louvor que é devido a Deus, o Pai e Criador, que nos protegeu durante a noite e nos despertou para um novo dia. Há um louvor que é devido a Deus, o Filho e Redentor do mundo, que por nós venceu a morte e o inferno e, como vitorioso, está entre nós. E há um louvor que é devido a Deus, o Espírito Santo, que no alvorecer do dia coloca em nosso coração a clara luz da Palavra de Deus, dispersa a escuridão do pecado e nos ensina a orar como convém. Se quisermos reaprender isso, poderemos fazer ideia da alegria que representa para irmãos que vivem lado a lado em união o fato de, uma vez passada a noite, cedo de manhã poderem outra vez se reunir para, em comunhão, louvar a Deus, ouvir a Palavra e orar. Tudo isso em comunhão. Porque a manhã não pertence ao indivíduo, mas à igreja do Deus trino. A manhã pertence à comunidade cristã que vive em comunhão, pertence à irmandade. São praticamente inesgotáveis os hinos antigos que conclamam a igreja ao louvor a Deus, em comunhão, cedo de manhã. Os Irmãos da Boêmia cantavam nestes termos, ao raiar de um novo dia: "O dia desfaz a noite escura; por isso, ó crentes, animem-se, vigiem e louvem a Deus, o Senhor. Lembrem-se de que foram criados à imagem de Deus, para que possam reconhecer isso". E também: "Eis surge o dia, e nós, Senhor, te louvamos. Somos gratos, ó Supremo Bem, por nos teres protegido durante a noite. Pedimos que nos protejas também hoje, pois somos um pobre povo peregrino. Assim, fica conosco, ajuda e protege, para que nenhum mal nos sobrevenha". E ainda: "Irmãos, eis vem o dia e é tempo de agradecer ao Deus bondoso, que durante a noite graciosamente nos guardou. Senhor Deus, a ti nos entregamos, para que, segundo a tua vontade, guies nossas palavras, ações e decisões, e que o nosso labor seja bem-sucedido".

A vida em comunhão sob a Palavra começa com o culto comunitário no início do dia.[2] A comunidade se reúne para louvar e agradecer, ler as Escrituras e orar. O profundo silêncio matinal apenas é rompido pela oração e pelo louvor da igreja. Depois do silêncio da noite e dos primeiros momentos do dia, a Palavra de Deus e o louvor se tornam ainda mais marcantes. As Escrituras Sagradas afirmam que os primeiros pensamentos e a primeira palavra do dia pertencem a Deus: "De manhã ouves a minha voz; de manhã te apresento a minha oração" (Sl 5.3), "de manhã dirijo a ti a minha oração" (Sl 88.13), "meu coração está preparado, ó Deus, meu coração está preparado, para que eu cante e te louve. Acorde, ó minha glória! Acordem, lira e harpa! Quero acordar ao alvorecer" (Sl 57.7-8). Ao raiar o dia, o crente tem sede e anseia por Deus: "Cedo de manhã eu venho e clamo; em tua palavra espero" (Sl 119.147). "Ó Deus, tu és o meu Deus; ao amanhecer espero por ti. A minha alma

[2] No Seminário de Finkenwalde, o dia começava e terminava com um momento devocional.

tem sede de ti; a minha carne te almeja numa terra seca e árida, onde não existe água" (Sl 63.1). A sabedoria de Salomão gostaria "que se soubesse que é preciso dar graças a Deus antes do nascer do sol, e comparecer diante dele ao raiar do dia" (Sabedoria 16.28). E, no Eclesiástico, afirma-se que o escriba em especial "se propõe levantar bem cedo para buscar o Senhor, seu criador, e fazer súplicas diante do Altíssimo" (39.6). Também as Escrituras Sagradas falam sobre a manhã como o momento em que se recebe a ajuda especial de Deus. Da cidade de Deus se diz: "De manhã bem cedo, Deus a ajudará" (Sl 46.5). Também: "A sua bondade é nova todas as manhãs" (Lm 3.23).

Para o cristão, o começo do dia não deve ser marcado pelo fardo e pela sobrecarga das diferentes tarefas daquele dia. Quem se coloca sobre o portal do novo dia é o Senhor, que criou esse dia. As trevas da noite e os sonhos confusos se desfazem apenas com a clara luz de Jesus Cristo e sua Palavra que nos desperta. A presença de Cristo dispersa a ansiedade, a impureza, a preocupação e o medo. Por isso, é bom que nos primeiros momentos do dia cessem os diferentes pensamentos e as muitas palavras sem sentido, para que o primeiro pensamento e a primeira palavra sejam daquele a quem pertence toda a nossa vida. "Desperte, você que está dormindo, levante-se dentre os mortos, e Cristo o iluminará" (Ef 5.14).

É notável o número de vezes que a Bíblia nos fala a respeito de homens de Deus que levantavam bem cedo para buscar a Deus e fazer a sua vontade: Abraão, Jacó, Moisés, Josué (ver Gn 19.27; 22.3; 28.18; Êx 24.4; Js 3.1; 6.12 etc.). O Evangelho de Marcos, que costuma ser tão sucinto, relata que o próprio Jesus "de manhã, quando ainda estava escuro, levantou e saiu. Foi para um lugar deserto, e ali orava" (Mc 1.35). Existe um madrugar que é marcado pela ansiedade e preocupação. A Bíblia diz que isso de nada adianta: "Será inútil levantar de madrugada e comer o pão que conseguiram com tanto esforço" (Sl 127.2). E existe um madrugar que deriva do amor a Deus. Esse foi posto em prática pelos homens que aparecem nas Escrituras Sagradas.

Fazem parte do *momento devocional comunitário* matinal a leitura bíblica, os cânticos e a oração. Na medida em que nem todas as comunidades são idênticas, também o momento devocional matutino terá formatos diferentes. É assim que tem de ser. Uma comunhão que inclui crianças precisa de um momento devocional diferente daquele que é realizado entre teólogos. Não é nem um pouco saudável se as duas formas forem exatamente iguais, como, por exemplo, quando uma irmandade de teólogos se contenta com um momento devocional direcionado às crianças. Mas cada momento devocional precisa incluir *a palavra das Escrituras*, *o cântico da igreja* e *a oração comunitária*. No que segue, serão abordados os vários elementos que fazem parte de um momento devocional comunitário.

"Falem entre vocês com salmos" (Ef 5.19). "Instruam e aconselhem-se mutuamente com salmos" (Cl 3.16). Desde a igreja antiga, a *oração dos salmos* num contexto comunitário sempre teve um significado singular. Em muitas igrejas, essa prática existe ainda hoje, pois cada momento devocional comunitário começa com um salmo. Entre nós, essa prática em grande parte se perdeu, e precisamos reaprender a orar os salmos.[3] O Saltério ocupa um lugar todo especial no

[3] Esse uso dos salmos pode ser visto como influência do monasticismo sobre Bonhoeffer. Durante sua visita à Inglaterra, Bonhoeffer tinha entrado em contato com comunidades monásticas anglicanas. Essa reapropriação dos salmos aparece como algo novo e estranho no contexto do protestantismo alemão daquele tempo.

conjunto das Escrituras Sagradas. Os salmos são Palavra de Deus, e eles são ao mesmo tempo, com poucas exceções, a oração de pessoas. Como explicar isso? Como pode a Palavra de Deus ser ao mesmo tempo oração dirigida a Deus? A essa pergunta se acrescenta uma observação que é feita por todos os que começam a orar os salmos. A pessoa tenta, em primeiro lugar, repetir os salmos pessoalmente, como se fossem sua própria oração. Ao fazer isso, logo depara com textos que, a seu ver, ela não diria ou não poderia usar como oração pessoal. Podemos pensar nos salmos em que alguém declara sua inocência, nos salmos imprecatórios e, em parte, também nos salmos de lamentação. No entanto, isso não altera o fato de que essas orações são palavras das Escrituras Sagradas, que o crente não pode descartar com a desculpa esfarrapada de que são coisa ultrapassada ou antiquada, que não passam de um "estágio religioso preliminar". O crente não quer se colocar como senhor sobre a palavra das Escrituras, mas ao mesmo tempo reconhece que não consegue dizer essas palavras como sua oração pessoal. Consegue ler e ouvir os salmos como oração de outra pessoa, pode ficar maravilhado, pode ficar escandalizado, mas não consegue fazer deles a sua oração e também não pode simplesmente tirá-los das Escrituras. É bem verdade que, em termos práticos, seria possível dizer que, nesse caso, a pessoa deveria se ater aos salmos que ela entende e consegue orar e que, ao ler os demais salmos, deveria aprender a técnica de passar rapidamente por cima daquilo que, nas Escrituras, é incompreensível e difícil, voltando sempre de novo ao que é simples e compreensível. No entanto, em termos objetivos, essa dificuldade que acaba de ser descrita serve muito bem para indicar o ponto em que é possível pela primeira vez perceber o segredo do Saltério. Aquela oração do salmo que nossos lábios resistem em pronunciar, diante da qual hesitamos e ficamos assustados, nos dá a entender que são palavras de outra pessoa que ora. Essas palavras não são nossas. Quem afirma a sua inocência, quem invoca o juízo divino, quem se encontra em situação de tão profundo sofrimento não é outro a não ser o próprio Jesus Cristo. É ele quem está fazendo essa oração. E não apenas essa, pois ele é quem ora em todo o livro dos Salmos. Esse fato foi reconhecido e confessado pelo Novo Testamento e pela igreja desde os tempos antigos.[4] O *homem* Jesus Cristo, que sabe muito bem o que é miséria, enfermidade e dor, mas que era totalmente inocente e justo, ele é quem ora nos salmos, na voz de sua comunidade. O Saltério é o livro de oração de Jesus Cristo no sentido mais próprio da palavra. Ele orou os salmos, e assim eles se tornaram sua oração para todos os tempos. Agora começa a fazer sentido como os salmos podem ser ao mesmo tempo oração que é dirigida a Deus e Palavra do próprio Deus. É que nos salmos deparamos com o Cristo que ora. Jesus Cristo ora os salmos por meio de sua igreja. A igreja também ora, sim, também o indivíduo ora, mas ele ora na medida em que Cristo ora nele. A pessoa não ora em seu próprio nome, mas em nome de Jesus Cristo. A pessoa ora, não por um desejo natural do próprio coração, mas a partir da humanidade que foi assumida por Cristo. O indivíduo ora com base na oração do homem Jesus Cristo. E é unicamente nisso que reside a promessa de que sua oração será ouvida. A oração chega aos ouvidos de Deus, porque Cristo, diante do trono de Deus, ora junto, isto

[4] Em seus Comentários aos Salmos, Agostinho repetidas vezes enfatiza que Cristo ora os salmos, às vezes como cabeça, às vezes como corpo. Os teólogos da Reforma seguem pelo mesmo caminho.

é, acompanha a oração do salmo que é feita pelo indivíduo e pela igreja. Ou, dito de outra maneira, a oração é ouvida por Deus porque aqueles que oram se juntam à oração de Jesus Cristo. Cristo se tornou seu intercessor.

Os salmos são a oração que Cristo faz por sua igreja, como seu substituto. Agora que Cristo está com o Pai, a nova humanidade de Cristo, o corpo de Cristo na terra, continua a orar até o fim dos tempos. Não, essa oração não pertence ao membro individual do corpo de Cristo, mas a todo o corpo. Tudo aquilo que aparece no Saltério e que o indivíduo nunca consegue entender completamente nem afirmar como propriamente seu vive apenas no corpo como um todo. Por isso, de um modo todo especial, orar os salmos é algo que cabe à comunidade. Se um versículo do salmo ou o salmo como um todo não é a oração que eu mesmo posso fazer, poderá ser a oração de outra pessoa que faz parte da comunidade, e com certeza será a oração do verdadeiro homem Jesus Cristo e a oração de seu corpo aqui neste mundo.

Nos salmos, aprendemos a orar com base na oração de Cristo. Os salmos são, a rigor, a melhor escola de oração. Aqui, aprendemos *em primeiro lugar* o que significa orar, a saber, orar com base na Palavra de Deus, orar com base em promessas. Cristãos oram com base no sólido fundamento da Palavra revelada, numa oração que não tem nada a ver com desejos vagos e egoístas. Oramos com base na oração do verdadeiro homem Jesus Cristo. Isso é o que as Escrituras querem dizer quando afirmam que o Espírito Santo ora em nós e por nós, que Cristo ora por nós, e que apenas podemos orar a Deus de forma adequada se o fizermos em nome de Jesus Cristo.

Ao orarmos os salmos, aprendemos, *em segundo lugar*, o que devemos pedir. Certamente aquilo que se ora nos salmos vai muito além das experiências de uma só pessoa. No entanto, na fé, a pessoa ora na íntegra essa oração de Cristo, a oração daquele que, só ele, como verdadeiro homem, passou por todas as experiências que são narradas nessas orações. Podemos, então, orar também aqueles salmos em que se pede vingança? Na medida em que somos pecadores, que, ao depararmos com esses salmos imprecatórios, somos levados a maus pensamentos, não devemos orá-los. Agora, na medida em que Cristo está em nós, podemos, como membros de Jesus Cristo, orar também esses salmos — por meio de Jesus Cristo, a partir do coração de Cristo. Afinal, Cristo é aquele que levou toda a vingança de Deus sobre si. Ele é aquele que, em nosso lugar, foi atingido pela vingança de Deus. Ele é aquele que, atingido pela vingança divina, não teve outra coisa a perdoar a seus inimigos exceto essa vingança. Cristo sentiu a vingança em sua própria pele, para que seus inimigos pudessem escapar dela. Podemos unir a nossa voz à do salmista, dizendo que somos inocentes, piedosos e justos? Não podemos fazer isso, sendo o que somos por nós mesmos. Não temos condições de fazer essa oração como algo que emana de nosso coração corrupto. No entanto, podemos e devemos fazer essa oração a partir do coração de Cristo, que era limpo e livre de pecado. Podemos fazer essa oração a partir da inocência de Cristo, da qual ele nos tornou participantes, pela fé. Na medida em que "o sangue e a justiça de Cristo são nosso manto e nosso adorno" (Is 61.10), podemos e devemos orar os salmos em que se alega inocência como sendo a oração de Cristo por nós e um presente que ele nos dá. Também esses salmos nos pertencem por meio de Cristo. E como devemos orar aqueles salmos que tratam de uma inexprimível miséria e sofrimento? São orações das quais apenas começamos a ter uma noção, bem de longe, do que está realmente envolvido. Não devemos orar esses salmos, tentando imaginar uma situação que por experiência própria não conhecemos, nem mesmo para nos queixarmos a nós mesmos. Pelo contrário, oramos e devemos orar esses salmos que tratam de sofrimento, porque todo esse sofrimento foi real e verdadeiro na experiência de Jesus Cristo. Podemos orar esses salmos, porque o homem Jesus Cristo experimentou fraqueza, dor, vergonha e morte, e porque, no sofrimento e na morte de Cristo, toda a carne sofreu e morreu. Aquilo que ocorreu na cruz de Cristo, a saber, a morte de nossa velha natureza, e aquilo que de fato acontece e deve acontecer conosco desde o nosso batismo, pela mortificação de nossa carne, isso nos dá o direito de fazer essas orações. Por meio da cruz, o corpo de Cristo neste mundo tem participação nesses salmos, como orações que emanam do coração de Jesus. Não será possível aprofundar isso agora. Tudo que se tinha em vista era indicar até que ponto os salmos são a oração de Cristo. Isso é algo que se precisa ir assimilando aos poucos.

Em terceiro lugar, o livro dos Salmos nos ensina a orar num contexto de comunhão. O corpo de Cristo ora e, como indivíduo, reconheço que minha oração é apenas uma pequena parcela da oração mais ampla da igreja como um todo. Aprendo a unir-me à oração do corpo de Cristo. Isso faz com que eu vá além de minhas preocupações e meus pedidos individuais e permite que eu ore de forma desinteressada. É muito provável que, no contexto do povo de Deus do Antigo Testamento, muitos salmos tenham sido orados de forma alternada. Aquilo a que chamam *parallelismus membrorum*, ou seja, a repetição do mesmo assunto, com outras palavras, na segunda metade do verso, não deve ser um simples artifício literário, mas deve ter também um significado para a igreja e para a teologia. Acho que valeria a pena em algum momento investigar essa questão a fundo. Para ver isso de forma bem clara, basta ler o Salmo 5. Sempre de novo aparecem duas vozes, que com palavras diferentes apresentam a Deus o mesmo pedido. Será que isso não é um indício de que a pessoa que ora nunca ora sozinha, mas que sempre existe uma segunda pessoa, alguém outro, um membro da igreja, do corpo de Cristo, sim, que o próprio Jesus Cristo precisa entrar na oração, para que a oração do indivíduo seja oração correta? Será que a repetição de um mesmo assunto não sugere que cada pedido precisa alcançar o fundo do coração, algo que apenas será possível por meio de uma interminável repetição — embora nem mesmo assim isso se torne possível? O melhor exemplo disso é o Salmo 119, com aquele *crescendo* que, numa simplicidade inatingível e inexplicável, parece nunca querer chegar ao fim. Será que isso não significa que a oração não é um momento isolado em que se derrama o coração, seja por uma necessidade, seja num momento de alegria, mas uma constante e progressiva aprendizagem, uma apropriação, uma inculcação da vontade de Deus em Jesus Cristo? Em sua exegese dos salmos, Friedrich Ötinger expressou uma profunda verdade, ao classificar todos os salmos de acordo com os sete pedidos do Pai-Nosso. Com isso ele queria dizer que esse grande e extenso livro dos Salmos é unicamente e apenas uma ampliação dos breves pedidos da oração que Jesus nos ensinou. Todo o nosso orar sempre se reduz unicamente à oração de Jesus Cristo, uma oração que vem acompanhada de promessa e que nos livra das vãs repetições dos gentios. Quanto mais voltarmos a mergulhar nos salmos, e quanto mais os tivermos orado pessoalmente, tanto mais simples e rica se tornará a nossa vida de oração.

Depois da oração do salmo e de um hino ou cântico, segue a *leitura das Escrituras*. "Dedique-se à leitura" (1Tm 4.13). Também nesse caso temos de superar vários preconceitos, para podermos chegar à reta compreensão do que significa ler as Escrituras num contexto comunitário. Praticamente todos nós crescemos pensando que, em se tratando de leitura bíblica, temos de nos ocupar unicamente com a Palavra de Deus para o dia de hoje. Assim, para muitas pessoas, ler as Escrituras se limita à leitura de alguns poucos versículos, escolhidos para serem o lema ou a palavra de orientação para o dia. Não há dúvida de que as senhas diárias dos Irmãos Morávios têm sido até o dia de hoje uma verdadeira bênção para aqueles que fazem uso delas.[5] Muitos, para sua grata e imensa surpresa, deram-se conta disso precisamente nos momentos de conflito dentro da igreja. Mas ao mesmo tempo pode-se colocar em dúvida se essas breves senhas ou esses pequenos lemas podem ou devem, de fato, ocupar o lugar da leitura da Bíblia. A senha diária ainda não é a Escritura Sagrada, que permanecerá ao longo do tempo até o dia do juízo final. A Escritura Sagrada é mais que uma senha diária. É também mais que "pão diário". Ela é a Palavra da revelação de Deus que se destina a todas as pessoas, em todos os tempos. A Escritura Sagrada não é feita de versículos isolados; ela é um todo, e é assim que ela quer atuar. É como um todo que a Bíblia é a Palavra de revelação divina. É apenas no caráter

[5] Publicadas desde 1731, essas senhas consistem em um breve texto do Antigo Testamento e outro do Novo Testamento para cada dia do ano. O texto do Antigo Testamento resulta de sorteio, e o texto do Novo Testamento é escolhido para combinar com o primeiro.

interminável de suas relações internas, na justaposição de Antigo e Novo Testamento, de promessa e cumprimento, de sacrifício e lei, de lei e evangelho, de cruz e ressurreição, de fé e obediência, de já ter recebido e ainda esperar, que se percebe o testemunho pleno a respeito de Jesus Cristo, o Senhor. É por isso que o momento devocional comunitário precisa incluir, além da oração do salmo, a leitura de trechos mais longos do Antigo e do Novo Testamento. Uma comunidade cristã que vive em comunhão certamente deveria ser capaz de, pela manhã e à noite, ouvir e ler pelo menos um capítulo do Antigo Testamento e pelo menos meio capítulo do Novo Testamento. No entanto, já na primeira tentativa ficará evidente que para a maioria essa pequena porção se constitui num alvo muito difícil de ser alcançado, pois encontrará resistência. Alguém irá alegar que não é possível assimilar e reter um número tão elevado de pensamentos e conexões, e que será aliás uma forma de desprezo da Palavra de Deus, caso se leia mais do que se consiga de fato assimilar. Diante dessa objeção, facilmente se passará a se contentar outra vez com a leitura de versículos isolados. No entanto, a verdade é que isso é reflexo de uma pesada culpa. Se é verdade que nós, cristãos adultos, temos dificuldade de assimilar um capítulo inteiro do Antigo Testamento, temos de ficar muito envergonhados mesmo! Pois que tipo de testemunho estamos dando a respeito de nosso conhecimento bíblico e de toda a nossa leitura das Escrituras até agora? Se estivéssemos familiarizados com o assunto que é lido, poderíamos facilmente acompanhar a leitura de um capítulo em voz alta, em especial se tivermos a Bíblia aberta em nossas mãos e fizermos uma leitura em conjunto. Mas temos de admitir pessoalmente que a Escritura Sagrada ainda nos é em grande parte algo desconhecido. Será que essa culpa por causa de nosso desconhecimento da Palavra de Deus não deveria resultar em algo diferente, a saber, numa séria e dedicada recuperação daquilo que deixamos de aproveitar? Os primeiros que deveriam se empenhar por isso são os teólogos. E que ninguém venha com a objeção de que um momento devocional comunitário não se destina ao propósito de trazer conhecimento bíblico, que esse é um objetivo profano demais, algo que deveria ser buscado fora do momento devocional! Quem pensa assim tem uma compreensão totalmente equivocada do que significa um momento devocional. Cada pessoa deve ouvir a Palavra de Deus na forma e na medida de sua compreensão. No momento devocional, a criança ouve e aprende as histórias bíblicas pela primeira vez. O cristão maduro aprende isso sempre de novo e cada vez melhor, e nunca terminará de aprender, simplesmente lendo e ouvindo por conta.

Essa queixa de que a leitura bíblica é muito longa e que muitas coisas são difíceis de compreender não é exclusiva do cristão simples, pois faz parte também da experiência do cristão maduro. Diante disso é preciso dizer que é exatamente para o cristão maduro que cada leitura bíblica será "muito longa", mesmo a leitura mais simples que se possa imaginar. O que significa isso? Significa que a Escritura é um todo, e cada palavra, cada frase tem uma variedade tão grande de conexões com o todo, que se torna impossível, quando se consideram os detalhes, ter sempre esse todo diante dos olhos. Isso mostra que a Escritura como um todo e cada passagem individual excede em muito a nossa compreensão, e é muito bom que sejamos diariamente lembrados disso. Essa constatação acabará por fazer com que olhemos para Jesus Cristo, "em quem estão *ocultos* todos os tesouros da sabedoria"

(Cl 2.3). Assim, talvez tenhamos de dizer que em cada leitura bíblica sempre precisa haver esse tipo de "longo demais", para que não acabe sendo apenas sabedoria proverbial ou conselho sobre como viver, mas continue sendo o que é, a saber, a revelação de Deus em Jesus Cristo.

Visto que a Escritura é um *corpus*, um todo integrado, o que se recomenda para a leitura bíblica da comunidade cristã que vive em comunhão é acima de tudo a assim chamada *lectio continua*, ou seja, a leitura contínua ou sequenciada dos livros. É na conexão de uns com os outros que os livros históricos, os proféticos, os evangelhos, as cartas e o Apocalipse são lidos e ouvidos como Palavra de Deus. Esses livros inserem a igreja que os ouve no maravilhoso contexto de revelação do povo de Israel, com seus profetas, juízes, reis e sacerdotes, com suas guerras, festas, sacrifícios e sofrimentos. A comunidade de fé é inserida na história do Natal, nas narrativas do batismo, dos milagres e dos discursos de Jesus Cristo, bem como de seu sofrimento, sua morte e ressurreição. A igreja que ouve esses relatos participa daquilo que, no passado, ocorreu entre nós com vistas à salvação de todo o mundo. E ela própria recebe aqui e em todos esses acontecimentos a salvação em Jesus Cristo. A leitura contínua ou sequenciada dos livros bíblicos obriga aquele que quer ouvir a se expor, a se deixar encontrar ali onde Deus agiu de uma vez por todas para a salvação da humanidade. É exatamente nessa leitura no culto que os livros históricos das Escrituras Sagradas se tornam algo bem novo para nós. Nós nos tornamos participantes daquilo que, no passado, aconteceu com vistas à nossa salvação. Renunciando e esquecendo-nos de nós mesmos, atravessamos o mar Vermelho, peregrinamos pelo deserto, passamos o rio Jordão e entramos na terra prometida. Com Israel, começamos a duvidar e caímos da fé, e, tendo passado por castigo e arrependimento, somos outra vez objeto do socorro e da fidelidade de Deus. E tudo isso não é simples imaginação, mas uma santa e divina realidade. Somos arrancados de nossa própria existência e inseridos na santa história de Deus aqui na terra. Foi lá que Deus agiu em nosso favor, e é ali que ainda hoje ele age em nosso favor, com nossas necessidades e nossos pecados, por meio de sua ira e de sua graça. O importante não é que Deus esteja vendo e participando de nossa vida hoje, mas que nós ouçamos com reverência e sejamos participantes da ação de Deus na história sagrada, na história de Cristo aqui neste mundo. E é apenas na medida em que participamos dessa história que Deus está conosco hoje também. Verifica-se aqui uma completa inversão. Não é assim que a presença e o socorro de Deus ainda precisam se manifestar em nossa vida, porque a presença e o socorro de Deus já se manifestaram a nosso favor na vida de Jesus Cristo. Na verdade, é mais importante para nós sabermos o que Deus fez por Israel, o que Deus realizou na pessoa de seu Filho Jesus Cristo, do que tentar descobrir o que Deus tem em vista para mim hoje. O fato de que Jesus Cristo morreu é mais importante do que a minha morte, e o fato de que Jesus Cristo foi ressuscitado dentre os mortos é o único fundamento da minha esperança de que, no último dia, eu também serei ressuscitado. Nossa salvação está "fora de nós" (*extra nos*). Encontro a salvação não na história de minha vida, mas unicamente na história de Jesus Cristo. Apenas aquele que se deixa encontrar em Jesus Cristo, em sua encarnação, em sua cruz e em sua ressurreição, apenas esse está com Deus, e Deus com ele.

A partir disso, a leitura bíblica comunitária num contexto de culto se tornará diariamente mais significativa e benéfica. Aquilo que denominamos de nossa vida, nossas necessidades, nossa culpa ainda não é a realidade como tal, porque a nossa vida, nossa necessidade, nossa culpa e nossa redenção se encontram lá, nas Escrituras. Uma vez que Deus decidiu agir em nosso favor nas Escrituras, é apenas lá que encontraremos ajuda. É apenas a partir da Escritura Sagrada que aprendemos a conhecer a nossa própria história. O Deus de Abraão, de Isaque e de Jacó é o Deus e Pai de Jesus Cristo e o nosso Deus.

Precisamos aprender a conhecer as Escrituras outra vez, seguindo o exemplo de nossos pais, os teólogos da Reforma. Para isso, deveríamos investir tempo e não poupar esforços. Precisamos aprender a conhecer as Escrituras antes de tudo por causa de nossa salvação. Mas, ao lado disso, existem razões de sobra para levarmos essa necessidade bem a sério. Por exemplo, como poderemos ter certeza e convicção, em nossa vida pessoal e também dentro da igreja, se não tivermos uma sólida base bíblica? Quem deve decidir quanto ao caminho que vamos seguir não é o nosso coração, mas a Palavra de Deus. Porém, em nossos dias, quem ainda tem uma noção clara a respeito da necessidade de confirmar algo a partir das Escrituras? Muitas vezes, quando se trata de fundamentar decisões importantes, ouvimos longas argumentações baseadas "na vida" ou tiradas "da experiência". No entanto, a fundamentação bíblica fica de fora, e é bem possível que esta poderia apontar na direção contrária. Se alguém não leva a leitura bíblica a sério, não conhece e não investiga o que as Escrituras dizem, não é de admirar que essa pessoa comece a questionar a importância de uma fundamentação bíblica. Agora, se alguém não quer aprender a lidar com as Escrituras de forma independente, sem depender de outros, esse não é um cristão evangélico.

Outra pergunta a ser feita é esta: Que tipo de ajuda poderia ser dada a um irmão na fé, quando em necessidade ou enfrentando tentações, a não ser a ajuda que vem da própria Palavra de Deus? Todas as nossas palavras rapidamente se evaporam. No entanto, quem à semelhança de "um pai de família tira do seu depósito coisas novas e coisas velhas" (Mt 13.52), quem está habilitado a falar a partir da plenitude da Palavra de Deus, a partir da riqueza de instruções, admoestações e consolações das Escrituras, esse, por meio da Palavra de Deus, poderá afugentar o diabo e ajudar os irmãos. Paro por aqui. "Porque, desde a infância, você conhece as sagradas letras, que podem torná-lo sábio para a salvação" (2Tm 3.15).

Como devemos ler as Escrituras Sagradas? No contexto de uma comunidade que vive em comunhão, a melhor opção é deixar que a leitura contínua seja feita pelos membros um após o outro. Com isso ficará claro que não é fácil ler as Escrituras em voz alta para os outros. Quanto mais simples, quanto mais impessoal, quanto mais a postura de quem lê for marcada por humildade, tanto mais o ato de ler estará à altura do texto que é lido. Muitas vezes a diferença entre um cristão maduro e um neófito transparece claramente na leitura das Escrituras em voz alta. Uma das regras quanto à correta leitura das Escrituras é que a pessoa que faz a leitura em voz alta nunca deveria se identificar com o "eu" que fala na Bíblia. Não sou eu que estou irado; é Deus. Não sou eu que consolo; é Deus. Não sou eu que exorto, mas é Deus quem exorta nas Escrituras. É bem verdade que, se Deus é aquele que se mostra irado, que consola e exorta, não poderei fazer uma leitura marcada por uma indiferente monotonia. Pelo contrário, estarei profundamente interessado, como alguém que sabe que essa palavra se dirige a mim também. No entanto, há uma grande diferença entre a forma correta de se ler as Escrituras em público e a forma incorreta, e a diferença consiste nisto: que eu não queira fazer o papel de Deus, mas me coloque a serviço dele com toda a simplicidade. Do contrário eu me tornarei demasiadamente retórico, solene, sentimental ou impositivo, ou seja, chamarei a atenção dos ouvintes para mim, e não para a Palavra de Deus. E esse é o pecado que se comete na leitura pública das Escrituras. Se fôssemos explicar isso a partir de um exemplo tirado da vida diária, o que mais se aproxima é uma situação em que leio para uma pessoa a carta que ela recebeu de um amigo. Não lerei essa carta como se eu mesmo a tivesse escrito — essa distância terá que ficar perceptível no ato de ler. Mas também não poderei ler a carta desse amigo como se não tivesse nada a ver comigo. Pelo contrário, farei a leitura em voz alta com demonstração de interesse e participação pessoal. A correta leitura das Escrituras não passa por um treinamento técnico, algo que se possa aprender, mas é algo que aumenta ou diminui de acordo com minha própria condição espiritual. Muitas vezes, a leitura penosa e arrastada de um crente que amadureceu na escola da vida supera em muito a leitura feita por um pastor e considerada perfeita do ponto de vista formal. No contexto de uma comunidade que vive em comunhão, espera-se que também nisso as pessoas possam aconselhar e ajudar umas às outras.

Junto e ao lado dessa leitura contínua das Escrituras, é possível seguir com a leitura das senhas diárias, ou seja, daqueles versículos isolados que servem de lema para o dia.

Uma senha dessas pode servir de lema da semana ou ser lida no começo (ou em qualquer outro ponto) do momento devocional.

Depois da oração do salmo e da leitura bíblica vem o *hino comunitário*, em que a igreja faz ouvir a sua voz com louvor, ação de graças e intercessão.

"Cantem ao Senhor um cântico novo" — esse é um convite que se repete várias vezes no Saltério. Trata-se do cântico de Cristo que se renova a cada manhã, que a comunidade em comunhão entoa cedo de manhã, o cântico novo que é cantado por toda a igreja de Deus na terra e no céu, e do qual somos chamados a participar. Deus preparou para si, na eternidade, um único e excelso hino de louvor, e quem ingressa na igreja de Deus começa a cantar esse hino também. É o "hino de louvor das estrelas da manhã e o grito de alegria de todos os filhos de Deus" antes da criação do mundo (Jó 38.7). É o cântico de vitória dos filhos de Israel depois da passagem pelo mar Vermelho; é o cântico de Maria (o *Magnificat*) depois da anunciação; é o louvor entoado por Paulo e Silas durante a noite, na prisão; é a canção daqueles que estão junto ao mar de vidro, depois de terem sido salvos, o "cântico de Moisés e do Cordeiro" (Ap 15.3); é o cântico novo da igreja celestial. Na manhã de cada novo dia a igreja de Deus na terra junta sua voz no entoar desse hino, e ao anoitecer ela encerra o dia com esse mesmo cântico. Nesse hino, o que se louva é o Deus trino e sua obra. Aqui na terra esse cântico soa diferente do que ele soa no céu. Na terra, é o cântico daqueles que creem; no céu, o cântico dos que veem. Na terra, é um cântico expresso em singelas palavras humanas; no céu, são "palavras indizíveis, que nenhuma pessoa pode expressar" (2Co 12.4). É o "cântico novo, que ninguém podia aprender, senão os cento e quarenta e quatro mil" (Ap 14.3), e que é acompanhado pelas "harpas *de Deus*" (Ap 15.2). O que é que nós podemos saber a respeito daquele cântico novo e das harpas de Deus? Nosso cântico novo é um cântico aqui da terra, um cântico de forasteiros e peregrinos, sobre os quais raiou a Palavra de Deus, iluminando o caminho. Nosso cântico terreno está ligado à Palavra reveladora de Deus em Jesus Cristo. É o cântico simples dos filhos desta terra, que foram chamados para serem filhos de Deus. Não é um cântico marcado por êxtase e arrebatamento, mas é um cântico sóbrio, agradecido, que de forma reverente se relaciona com a Palavra revelada de Deus.

"Cantem e façam música no coração de vocês" (Ef 5.19). O cântico novo é entoado primeiramente no coração. Essa é a única forma em que ele pode ser entoado. O coração canta, porque se tornou pleno de Cristo. Por isso, na igreja, cantar é um ato espiritual. Dedicação à Palavra, inserção na igreja, profunda humildade e muita disciplina são os pressupostos de todo e qualquer canto comunitário. Se o coração não canta junto, o que resta é uma terrível cacofonia, em que as pessoas apenas se glorificam a si mesmas. Onde não se canta para louvar o Senhor, ali se canta em honra própria ou para exaltar a música. E assim o cântico novo se torna um cântico idólatra.

"Falem entre vocês com salmos, hinos e cânticos espirituais" (Ef 5.19). Neste mundo, nosso ato de cantar é uma fala. É Palavra cantada. Por que os cristãos cantam quando se reúnem? Em primeiro lugar, pelo simples motivo de que o canto comunitário lhes permite proclamar e orar as mesmas palavras ao mesmo tempo. Dito de outro modo, os cristãos cantam para se unirem na Palavra de Deus. Toda concentração, toda junção tem como foco a Palavra no cântico. O fato de fazermos isso na forma de um cântico, e não na forma de uma fala, simplesmente revela o fato de que nossas palavras faladas não são suficientes para expressar o que queremos dizer, que o tema de nossos cânticos excede em muito aquilo que palavras humanas conseguem expressar. No entanto, não ficamos apenas emitindo sons, mas cantamos palavras em louvor a Deus, para agradecer, confessar a fé e orar. Assim, a música está totalmente a serviço da Palavra. A música expressa a Palavra naquilo que ela tem de incompreensível.

Por terem essa ligação completa com a Palavra, os cânticos litúrgicos da igreja, especialmente no contexto de uma comunidade que vive em comunhão, são em sua essência cânticos em uníssono. Nesse caso, as palavras e a música formam uma unidade singular. O som mais livre do canto em uníssono tem como único suporte essencial a Palavra, que é cantada. Por isso, não carece do suporte musical de outras vozes. Os Irmãos Morávios diziam: "Hoje cantamos a uma só voz, em harmonia e do fundo do coração". "Unânimes e a uma só voz, glorifiquem o Deus e Pai de nosso Senhor Jesus Cristo" (Rm 15.6). A verdadeira essência do canto congregacional é a pureza do canto em uníssono, livre de motivações estranhas ligadas a extravagâncias de ordem musical. A verdadeira essência do canto congregacional é a clareza do canto em uníssono, não afetada por desejos obscuros de conceder à música o direito de existir como algo independente, ao lado da Palavra. A verdadeira essência do canto congregacional em uníssono reside na simplicidade e sobriedade, no caráter humano e no ardor que são inerentes a esse canto. É claro que, para nossos ouvidos que não foram treinados para tanto, a percepção disso é um processo demorado, fruto de paciente ensaio. No caso de uma comunhão cristã, cantar corretamente em uníssono é uma questão de discernimento espiritual. Aqui se canta do coração, aqui se canta ao Senhor, aqui se canta a Palavra, aqui se canta em harmonia.

Existem alguns inimigos do canto em uníssono, que precisam ser expulsos da comunhão sem dó nem piedade. No culto, a vaidade e o mau gosto aparecem acima de tudo na hora de cantar. Em primeiro lugar, existe aquela segunda voz improvisada, que tende a aparecer em todos os lugares em que se tem um canto comunitário. Essa segunda voz pretende dar ao som mais livre do canto em uníssono a necessária sustentação, aquele preenchimento que parece faltar, mas com isso acaba matando a palavra e o som. Depois, existem aqueles que cantam baixo ou contralto, que precisam mostrar a todos os demais que são dotados de uma extensão vocal extraordinária e que, por isso, precisam cantar todos os hinos uma oitava abaixo. Existe ainda a voz de solista, que, a plenos pulmões, se sobrepõe a todo o resto com estridência, com extravagância, com vibrato, unicamente para honra da própria voz, que é tão bela. Existem aqueles que são inimigos menos perigosos do canto comunitário, a saber, os que "não levam jeito para a música", aqueles que não sabem cantar, mas que, na verdade, existem em número bem menor do que normalmente se supõe. Por fim, existem também em grande número aqueles que por algum motivo ou por ressentimento não querem cantar junto e, com isso, atrapalham a comunhão.

O canto em uníssono, por mais difícil que seja, é muito mais questão espiritual do que assunto musical. O canto em uníssono, por maiores que sejam nossas dificuldades na área musical, apenas nos dará a alegria que só ele pode nos dar, se, em nossa comunidade, cada um for disciplinado e adotar uma postura devocional.

Para ensaiar o canto em uníssono, entram em consideração especialmente os corais do período da Reforma, depois os hinos dos Irmãos Morávios e as composições da igreja antiga. A partir daí ficará claro por si mesmo que hinos de nosso hinário são mais apropriados para o canto comunitário em uníssono e quais não são. Qualquer posição dogmática, tão comum em nossos dias quando o assunto é este que estamos tratando, é inadequada. Aqui, na verdade, as decisões apenas poderão ser tomadas uma de cada vez, e devemos evitar qualquer postura iconoclasta. Uma comunidade cristã que vive em comunhão fará um esforço para poder cantar de cor um bom número de hinos. Alcançará esse objetivo, se em cada momento devocional, além de um hino escolhido livremente, tiver algumas estrofes fixas, que podem ser cantadas entre uma e outra leitura.

Mas não é apenas nos momentos devocionais que se deve praticar o canto. Isso deveria ser feito também regularmente em determinados momentos do dia ou da semana. Quanto mais cantarmos, maior será nossa alegria ao fazê-lo. Agora, acima de tudo, quanto mais comunitário, disciplinado e alegre for o nosso cantar, mais rica será a bênção que, partindo da canção comunitária, se irradiará para a vida em comunhão como um todo.

No canto comunitário, o que se ouve é a voz da igreja. Não sou eu que canto; a igreja canta. Como membro da igreja, posso participar das canções que ela entoa. Assim, todo o verdadeiro canto comunitário deve estar a serviço de uma ampliação da perspectiva espiritual, a saber, que reconheçamos que nossa pequena comunhão é parte da grande cristandade em todo o mundo, e que, dispostos e alegres, com o nosso cantar — seja ele sofrível, seja muito bom — nos insiramos no canto da igreja.

A Palavra de Deus, a voz da igreja e a nossa oração fazem parte de um todo. Por isso, agora temos de falar a respeito da *oração comunitária*. "Se dois de vocês se unirem, no pedido que quiserem fazer, isso lhes será concedido por meu Pai, que está nos céus" (Mt 18.19). Quando o assunto é devoção comunitária, não há nada que nos traga maiores dificuldades ou apresente maiores desafios do que orar no contexto da comunidade. Acontece que, neste caso, nós mesmos temos de falar. A Palavra de Deus foi ouvida, pudemos nos inserir nos cânticos da igreja, e agora chegou a hora de, como comunidade, orarmos a Deus. E essa oração precisa ser de fato *nossa* palavra, *nossa* oração por este dia, por nosso trabalho, por nossa comunidade, pelos pecados e pelas necessidades específicas que afligem a nós todos, pelas pessoas que estão sob nossos cuidados. Ou será que não temos de fato nada a pedir para nós mesmos? Ou seria esse anseio por oração comunitária, com a própria boca e com as próprias palavras, algo que não nos é permitido? Objeções à parte, o fato é que, onde cristãos querem viver em comunhão sob a Palavra de Deus, simplesmente não pode faltar a oração comunitária, dirigida a Deus com palavras próprias. Essa oração pode e deve ser feita. Esses cristãos têm pedidos em comum a fazer, algo por que dar graças em comunhão, intercessões comunitárias a apresentar diante de Deus, e eles devem fazer isso com alegria e confiança. Se, com muita sobriedade e simplicidade, um dos irmãos apresenta a Deus a oração comunitária de todos, não se justifica qualquer tipo de medo em relação aos outros, qualquer receio de orar na presença dos outros com palavras próprias, numa oração livre. Numa situação dessas, em que se ora em nome de Jesus Cristo com palavras bem simples, não se pode e não se deve abrir espaço para observações ou críticas. Na verdade, em se tratando da vida cristã comunitária, a coisa mais normal do mundo é que se ore em comunhão. E, mesmo que nossa inibição possa ser algo bom e proveitoso, para que a oração se mantenha pura e seja bíblica, essa inibição não deve sufocar a tão necessária oração livre, visto que ela foi objeto de uma grande promessa de Cristo.

A oração livre ao final do momento devocional deveria ser feita pelo líder da comunidade ou, se não for possível, de preferência sempre pela mesma pessoa. Isso coloca uma tremenda responsabilidade sobre os ombros dessa pessoa. No entanto, para livrar a oração de comentários inadequados ou de falsa subjetividade, uma pessoa deveria orar por mais tempo, de forma continuada, em nome de todos.[6]

Para que a oração dessa pessoa seja possível como oração comunitária, o primeiro pressuposto é a intercessão de todos os outros por essa pessoa e pela oração que fará. Como poderia uma pessoa fazer a oração de toda a comunidade, se a própria comunidade não der o suporte, incluindo-o em sua oração? É neste ponto que qualquer comentário crítico terá de se transformar na mais sincera intercessão e ajuda fraterna. Sem isso, facilmente uma comunhão se desfaz!

A oração livre, feita no momento devocional comunitário, deve ser a oração da comunidade, e não a oração do indivíduo que ora. É sua tarefa orar pela comunidade. Para tanto, precisa participar da vida diária da comunidade,

[6] No Seminário de Finkenwalde, essas orações, bastante longas, eram feitas quase que exclusivamente por Bonhoeffer.

precisa conhecer as preocupações e as necessidades, as alegrias e os motivos de gratidão, os pedidos e os anseios dessa comunidade. Esse irmão precisa estar por dentro do trabalho e de tudo que se relaciona com essa comunidade. Ele ora como um irmão em meio aos irmãos. Se ele de fato quiser se guiar unicamente pela responsabilidade de orar pela comunidade, precisa estar atento e vigilante, para não pensar que o que se passa em seu coração é o que se passa no coração da comunidade. Por isso, é bom que a pessoa encarregada de orar receba sempre de novo orientação e ajuda da própria comunidade, sugerindo que não esqueça esta ou aquela necessidade, este ou aquele projeto, ou então uma pessoa específica. Assim, a oração se tornará cada vez mais a oração comunitária de todos.

Também a oração livre segue uma estrutura interna já estabelecida. Afinal, não se trata de um caótico extravasar do coração de uma pessoa, mas da oração de uma comunidade estruturada internamente. Assim, determinados motivos de oração farão parte da oração diária, ainda que talvez em formatos ou modalidades diferentes. A repetição diária dos mesmos pedidos, que temos de fazer como comunidade que somos, pode, no início, resultar em monotonia. No entanto, com o tempo isso certamente resultará em libertação de uma forma demasiadamente individual de orar. É possível agregar a esses pedidos diários que vão se repetindo ainda outros, de tal forma que se possa ocasionalmente estabelecer uma ordem semanal. Se isso for algo muito complicado para o momento devocional comunitário, certamente será um auxílio para o momento pessoal de oração. Para que a oração livre não fique sujeita à arbitrariedade do subjetivismo de quem ora, uma boa solução é conectar a oração com uma das leituras bíblicas. Assim, a oração passa a ter uma base sólida e uma sustentação segura.

Sempre de novo aparece a situação em que, em determinado dia, a pessoa encarregada de orar pela comunidade não se sente mentalmente preparada, expressando o desejo de transferir essa tarefa para outra pessoa. Mas não é aconselhável fazer isso. Do contrário, muito facilmente a oração da comunidade será controlada por sentimentos que não têm nada a ver com a vida espiritual. Exatamente a pessoa que gostaria de fugir de sua responsabilidade, por se sentir cansada, interiormente vazia ou incomodada por alguma culpa pessoal, precisa aprender o que significa assumir uma tarefa dentro da comunidade. E cabe aos irmãos amparar essa pessoa em sua fraqueza, em sua falta de capacidade para orar. É possível que nesse momento se concretize a palavra de Paulo: "Porque não sabemos o que devemos pedir em oração, como convém, mas o próprio Espírito Santo intercede por nós com gemidos inexprimíveis" (Rm 8.26). Tudo depende de a comunidade entender que a oração feita por um irmão é a sua oração, levando-a a dar o seu apoio e a orar junto.

No caso de uma pequena comunidade que vive em comunhão, o uso de orações prontas ou impressas pode, em dadas circunstâncias, ser um auxílio. No entanto, muitas vezes isso não passa de uma fuga da verdadeira oração. Por meio dessas orações formuladas para o uso na igreja, recheadas de pensamentos profundos, facilmente alguém se esquece da oração pessoal. Em outras palavras, as orações se tornam bonitas e profundas, mas perdem autenticidade. Essas orações impressas da igreja, que vêm da tradição, podem ser úteis para ensinar a orar. No entanto, elas não podem tomar o lugar da oração que Deus espera que eu faça no dia de hoje. Quando se trata de orar, palavras gaguejadas com dificuldade podem ser preferíveis a uma oração bem elaborada. No entanto, nem seria necessário dizer que, no culto público da igreja, a situação é bem diferente daquilo que acontece durante o momento devocional diário numa pequena comunidade que vive em comunhão.

Muitas vezes, num grupo de convívio cristão, surge o desejo de organizar momentos especiais de oração, em acréscimo à oração diária que é feita durante o momento devocional comunitário. Quanto a isso, é claro que não se pode estabelecer uma regra, a não ser esta: que esses períodos de oração apenas devem ser realizados se houver desejo comunitário e participação comunitária. Qualquer iniciativa de caráter pessoal pode facilmente espalhar a semente da discórdia na comunidade. É precisamente nessa área que os fortes têm de suportar os fracos, e os fracos não podem impor sua vontade aos fortes. O Novo Testamento nos ensina que, no contexto cristão, uma comunhão organizada livremente com a finalidade de orar é algo absolutamente óbvio e natural, devendo ficar livre de qualquer suspeita. No entanto, caso surgirem suspeitas e apreensões, é necessário que os irmãos se suportem uns aos outros, com paciência. Num caso assim, nada deveria ser implantado à força, mas tudo deveria ocorrer com liberdade e em amor.

Acabamos de dar uma passada na devoção matinal de um grupo de convívio cristão. O dia começa com a Palavra de Deus, o cântico da igreja e a oração da comunidade. Apenas depois de ter recebido e de ter sido fortalecida pelo pão da vida eterna, a comunidade cristã se une para receber de Deus o pão terreno, necessário para a vida corporal. Com gratidão e suplicando a bênção de Deus, a igreja reunida numa casa recebe o pão de cada dia das mãos do Senhor. Desde o momento em que Jesus sentou à mesa com seus discípulos, a *comunhão de mesa* de sua igreja é abençoada por meio da presença de Cristo. "E aconteceu que, enquanto ele estava à mesa com eles, pegou o pão, deu graças, partiu o pão e o deu a eles. Então os olhos deles se abriram, e eles reconheceram Jesus" (Lc 24.30-31). As Escrituras falam sobre três momentos de comunhão de mesa entre Jesus e seus discípulos: a comunhão de mesa no dia a dia, a comunhão de mesa na Ceia do Senhor, e a comunhão de mesa do final dos tempos, no reino de Deus. Nos três momentos, porém, o que interessa é apenas isto: "Os olhos deles se abriram, e eles o reconheceram". Reconhecer Jesus Cristo nos dons: o que significa isso? Significa, *em primeiro lugar*, reconhecê-lo como doador de todas as dádivas, como o Senhor e Criador deste nosso mundo, juntamente com o Pai e o Espírito Santo. Por isso, a comunidade reunida em torno da mesa ora, dizendo: "E tudo que *tu* nos dás, nos seja abençoado", confessando assim a eterna divindade de Jesus Cristo. *Em segundo lugar*, a comunidade reconhece que todos os dons terrenos apenas lhe são dados por causa de Cristo, assim como todo o mundo apenas é preservado por causa de Jesus Cristo, sua Palavra e sua proclamação. Ele é o verdadeiro pão da vida. Ele não é apenas o doador, mas também a dádiva, em função de quem todos os dons terrenos existem. Deus, em sua paciência, apenas nos preserva com suas boas dádivas porque a Palavra a respeito de Jesus Cristo ainda precisa ser espalhada para ser acolhida em fé, e também porque a nossa fé ainda não foi aperfeiçoada. Por isso, a comunidade doméstica reunida em volta da mesa orava assim, nas palavras de Lutero: "Senhor Deus, amado Pai celestial, abençoa a nós e a estes dons, que recebemos de tua imensa bondade, por meio de *Jesus Cristo, nosso Senhor*. Amém". Assim, a comunidade confessa que Jesus Cristo é o divino Mediador e Salvador. *Em terceiro lugar*, a igreja de Jesus crê que o seu Senhor estará presente, sempre que ela pedir que ele se faça presente. Por isso a igreja ora: "Vem, Senhor Jesus, sê o nosso convidado", e com isso ela confessa a graciosa onipresença de Jesus Cristo. Cada momento de comunhão à mesa enche os cristãos de gratidão para com o Senhor e Deus que está presente, a saber, Jesus Cristo. Com isso não se busca uma doentia espiritualização dos dons terrenos. Pelo contrário, em plena alegria pelas boas dádivas da vida terrena, os cristãos reconhecem que o seu Senhor é o verdadeiro doador de todas as boas dádivas. Além disso, reconhecem que ele é o verdadeiro dom, o verdadeiro pão da vida. E, por fim, reconhecem que Cristo é aquele que convida a igreja para a festa da alegria no reino de Deus. Assim, de um modo todo especial, a comunhão diária ao redor da mesa cria um vínculo entre os cristãos e o seu Senhor e também dos cristãos entre si. Ao redor da mesa, os cristãos reconhecem que o seu Senhor é aquele que vem partir o pão para eles. Os olhos de sua fé se abriram.

A comunhão à mesa é algo festivo. Em meio ao trabalho dos dias da semana, essa comunhão festiva é a lembrança, recebida sempre de novo como dádiva, do fato de que Deus descansou depois da obra da criação. Esse momento festivo é a lembrança de que o descanso é o sentido e o alvo da semana com toda a sua canseira. Nossa vida não consiste apenas em trabalho e canseira, mas também é refrigério e alegria diante da bondade de Deus. Nós trabalhamos, mas Deus nos alimenta e preserva. Isso é motivo de celebração. O ser humano não deve comer o seu pão cheio de preocupações (Sl 127.2), mas "coma com alegria o seu pão" (Ec 9.7). Por isso "exaltei a alegria, porque para o ser humano não há nada melhor debaixo do sol do que comer, beber e alegrar-se" (Ec 8.15). No entanto, "separado de Deus, quem pode comer ou alegrar-se?" (Ec 2.25). A respeito dos setenta anciãos que subiram o monte Sinai com Moisés e Arão, afirma-se que, depois que eles tinham visto Deus, "comeram e beberam" (Êx 24.11). É bem possível que Deus não tolere essa nossa existência pouco festiva, em que se come o pão com gemidos, com um senso de dever que nos mantém sempre ocupados, ou até mesmo com vergonha. Por meio das refeições de cada dia ele nos estende um convite à alegria, um convite a festejar em meio ao trabalho.

A comunhão dos cristãos ao redor da mesa implica compromisso. Comemos o *nosso* pão de cada dia, e não o meu próprio pão. Repartimos o pão que temos. Assim, estamos firmemente unidos não apenas em espírito, mas com toda a nossa existência física. Aquele *um* pão que é dado à nossa comunidade nos une num vínculo bem estreito. Enquanto um tiver pão o outro não deve passar fome, e quem destrói essa comunhão da vida corporal destrói com isso também a comunhão do Espírito. De forma indissolúvel essas duas coisas estão unidas. "Repartam o seu pão com os famintos" (Is 58.7). "Não despreze o faminto" (Eclesiástico 4.2), pois no faminto o Senhor vem ao nosso encontro (Mt 25.37). "Se um irmão ou uma irmã estiverem sem roupa e com falta do alimento diário, e um de vocês lhes disser: Que Deus cuide de vocês! Tratem de se aquecer e de se alimentar!, mas não lhes dão o necessário para o corpo, qual é o proveito disso?" (Tg 2.15-16). Enquanto comermos nosso pão em comunhão, estaremos satisfeitos com o mínimo que tivermos. A fome só aparece quando alguém quer ficar com o pão apenas para si. Esse é um estranho princípio divino. Será que a história da maravilhosa multiplicação dos cinco pães e dois peixinhos para os cinco mil não tem também esse significado, ao lado de tantos outros?

A comunhão da mesa ensina aos cristãos que, neste mundo, ainda comem o pão perecível da peregrinação terrena. Se repartirem esse pão entre si, um dia, juntos, na casa do Pai, receberão também o pão que não se estraga. "Bem-aventurado aquele que comer pão no reino de Deus" (Lc 14.15).

Depois da primeira hora do dia, o cristão se volta para o *trabalho*, até o entardecer. "Então as pessoas saem para seu trabalho e para seu serviço até a tarde" (Sl 104.23). Na maioria dos casos, a comunidade cristã que vive em comunhão não estará reunida durante todo esse período de trabalho. Orar e trabalhar são coisas diferentes. O trabalho não deve atrapalhar a oração, mas a oração também não deveria atrapalhar o trabalho. De acordo com a vontade de Deus, o ser humano deve trabalhar seis dias e, no sétimo dia, descansar e celebrar na presença de Deus. Assim também, de acordo com a vontade de Deus, cada dia do cristão é marcado por essas duas atividades: orar e trabalhar. É preciso tomar tempo também para orar. Mas a maior parte do dia deve ser dedicada ao trabalho. Oração e trabalho, cada qual tem o direito inalienável de existir. Apenas quando esse direito individual for respeitado é que se tornará claro que oração e trabalho caminham lado a lado, sem que se possa fazer uma separação. Sem o fardo do trabalho diário, a oração não é oração; e, sem a oração, o trabalho não é trabalho. Só o cristão sabe disso. Assim, é exatamente na clara distinção entre oração e trabalho que se revela o quanto essas duas coisas estão unidas.

O trabalho insere a pessoa no mundo das coisas, exigindo dela uma atividade. Saindo do mundo do encontro fraterno, o cristão ingressa no mundo das coisas impessoais, no mundo do "isso", e esse novo encontro liberta o cristão para o aspecto objetivo da realidade. Porque o mundo do "isso" não passa de um instrumento nas mãos de Deus para livrar o cristão de todo tipo de egoísmo e vida voltada para si mesmo. A atividade no mundo só se concretiza se a pessoa se esquece de si mesma, concentrando-se unicamente no assunto, na realidade, na tarefa, no "isso". Ao trabalhar, o cristão passa a conhecer a limitação que é imposta por essa realidade. Assim, o trabalho se torna para ele um remédio contra a preguiça e acomodação de sua carne. Diante do mundo das coisas morrem os impulsos da carne. Mas isso só ocorre onde o cristão rompe a barreira do "isso" e chega ao "tu" de Deus, esse Deus que lhe deu o trabalho e as atividades, permitindo que isso lhe sirva de libertação de si mesmo. Com isso o trabalho não deixa de ser trabalho. Pelo contrário, fará com que a dureza e a severidade do trabalho de fato passem a ser procuradas por aquele que conhece o benefício que o trabalho lhe traz. O constante conflito com o "isso" continua. Mas tão logo a barreira é rompida, encontra-se a unidade do dia, a unidade que existe entre oração e trabalho. Porque encontrar o "tu" de Deus atrás do "isso" do dia de trabalho é o que Paulo chama de "orar sem cessar" (1Ts 5.17). Assim, o orar do cristão vai além do tempo que é dedicado à oração, avançando para dentro do período de trabalho. A oração engloba todo o dia. Ela não atrapalha o trabalho. Pelo contrário, requer e afirma o trabalho; a oração dá seriedade e traz alegria ao trabalho. Assim, cada palavra, cada atividade, cada trabalho do cristão se transforma em oração. Não no sentido irreal de um constante afastamento daquilo que se tem a fazer, mas no sentido real de uma passagem do severo "isso" ao gracioso "tu". "Tudo o que fizerem, seja em palavra, seja em ação, façam em nome do Senhor Jesus" (Cl 3.17).

A partir da unidade do dia, esse dia como um todo passa a ter organização e disciplina. Essa organização e disciplina é algo que se busca e se encontra na oração matinal, e é algo que se testa no trabalho. A oração matinal como que determina o curso do dia. Tempo desperdiçado, do qual nos envergonhamos, tentações às quais cedemos, fraqueza e falta de ânimo no trabalho, desordem e falta de disciplina em nosso pensar e em nosso trato com as outras pessoas, tudo isso resulta no mais das vezes de um relaxamento quanto à oração matinal. A organização e divisão de nosso tempo se tornam mais claras caso brotem da oração. Tentações, que a jornada de trabalho traz consigo, serão vencidas por meio dessa passagem na direção de Deus. Decisões, exigidas pelo trabalho, serão tomadas de forma mais simples e com mais facilidade, caso forem tomadas unicamente na presença de Deus, e não com medo das pessoas. "Tudo o que fizerem, façam de coração, como para o Senhor e não para as pessoas" (Cl 3.23). Também o trabalho repetitivo será encarado com mais paciência, caso for realizado a partir do conhecimento de Deus e de sua vontade. A energia para o trabalho aumentará, caso tivermos pedido a Deus em oração que ele nos dê no dia de hoje a energia necessária para realizar as nossas tarefas.

Para a comunidade cristã que vive em comunhão, a hora do meio-dia será, sempre que isso for possível, um breve intervalo nessa caminhada que se estende ao longo do dia. A metade do dia já se foi. A comunidade dá graças a Deus e implora proteção até o anoitecer. Ela recebe o pão de cada dia e se dirige a Deus em oração, com palavras que vêm desde o tempo da Reforma: "Dá aos teus filhos o alimento, Pai amado; e que o pecador em sua angústia seja consolado". Temos de ser alimentados por Deus. Não podemos e não devemos atribuir isso a nós mesmos, porque nós, pobres pecadores, não o fizemos por merecer. Assim, a refeição, que Deus nos concede, torna-se um consolo para os angustiados, pois é sinal da graça e da fidelidade com que Deus sustenta e guia os seus filhos. É verdade que as Escrituras dizem: "Se alguém não quer trabalhar, também não coma" (2Ts 3.10). Com isso, cria um sólido vínculo entre o trabalho realizado e a comida que se tem. Mas as Escrituras nunca falam a respeito de um direito ao pão, que o trabalhador supostamente teria diante de Deus. É bem verdade que o trabalho nos é exigido, mas o alimento é graciosa e imerecida dádiva de Deus. Nosso trabalho não resulta automaticamente em alimento diário, pois esse é um dom gracioso de Deus. O dia pertence unicamente a Deus. Assim, na metade do dia a comunidade cristã se une e recebe o convite de Deus para sentar-se à mesa. A hora do meio-dia é um dos sete momentos de oração do salmista[7] e também da igreja. No auge do dia, a igreja invoca o Deus trino, para louvá-lo por suas maravilhas e para orar, pedindo ajuda e pronta redenção. Por volta do meio-dia, o céu se escureceu por cima da cruz de Jesus, e a obra da reconciliação encaminhou-se para seu desfecho. Certamente não será perda de tempo, se uma comunidade cristã que vive em comunhão puder estar reunida nessa hora do meio-dia, para um breve momento de louvor ou oração.

[7] Bonhoeffer faz alusão a Salmos 119.164: "Sete vezes por dia, eu te louvo pela justiça dos teus juízos". Esse mesmo texto inspirou as sete horas canônicas, observadas principalmente em mosteiros.

O trabalho do dia chega ao seu final. Se o trabalho foi árduo e cansativo, o cristão poderá entender o que Paul Gerhardt quis dizer, ao compor um hino em que expressou o seguinte pensamento: "Cabeça, pés e mãos estão felizes, pelo dia de trabalho que termina; que o nosso coração também se alegre, pois o fim da miséria imposta pelo pecado se aproxima". Um dia já é bastante longo para que, nele, se preserve a fé; o dia de amanhã trará seus próprios cuidados.

Mais uma vez, ao final do dia, a comunidade cristã que vive em comunhão se congrega. Ela se vê unida pela comunhão à mesa e por um último momento devocional. Com os discípulos no caminho a Emaús, ela implora: "Fique conosco, Senhor, porque já é tarde, e o dia está chegando ao fim" (Lc 24.29). Nada melhor do que colocar o momento devocional da noite como última atividade do dia, para que essa seja a última palavra antes da noite de descanso. Com a chegada da noite, a verdadeira luz da Palavra de Deus brilha mais intensamente sobre a igreja. A oração de um salmo, a leitura bíblica, o cântico e a oração comunitária, que deram início ao dia, aparecem também na sua conclusão.[8] A respeito dessa oração da noite cabe acrescentar algumas palavras. Esse é o momento apropriado para as intercessões comunitárias. Concluídas as tarefas do dia, pedimos a Deus que ele dê a sua bênção, paz e proteção a toda a cristandade, a nossa igreja local, aos pastores em seu ofício, a todos os pobres, miseráveis e solitários, aos doentes e agonizantes, a nossos vizinhos, aos membros de nossa família que estão distantes, a nossa

[8] Percebe-se que Bonhoeffer não menciona a pregação, nem aqui nem anteriormente, ao descrever o momento devocional da manhã. Isso reflete a tradição monástica e era praticado em Finkenwalde, em que os momentos devocionais não eram realizados numa capela, mas no refeitório.

comunidade. Haveria momento mais apropriado para nos darmos conta do poder e da ação de Deus do que nessa hora em que as nossas mãos cessam de trabalhar e entregamos a nossa vida nas mãos confiáveis de Deus? Em que momento estaríamos mais preparados para orar, pedindo que Deus nos dê a sua bênção, paz e proteção, do que nessa hora em que nossa atividade chegou ao fim? Quando nós nos cansamos, Deus faz a sua obra. "Não dormita, nem dorme o guarda de Israel" (Sl 121.4). Além disso, esse momento devocional noturno da comunidade cristã que vive em comunhão é o momento adequado para o pedido de perdão por todos os erros que cometemos contra Deus e contra nossos irmãos. Podemos pedir a Deus e a nossos irmãos que nos perdoem, além de pedir que Deus nos conceda a disposição de perdoar os erros que foram cometidos contra nós. Há uma antiga prática observada regularmente nos mosteiros: no momento devocional da noite, o abade pede a seus irmãos o perdão por todas as falhas e culpas em relação a eles, recebendo então deles o perdão. Em seguida, igualmente os irmãos pedem ao abade perdão por todas as falhas e culpas, recebendo dele o perdão. "Não deixem que o sol se ponha sobre a ira de vocês" (Ef 4.26). Um princípio de vital importância para cada comunidade cristã é que todas as feridas causadas pelo dia sejam curadas à noite. Para um cristão, é arriscado deitar-se para dormir sem antes ter buscado reconciliação. Por isso, é muito bom quando, nesse momento devocional noturno, o pedido de perdão mútuo é levado bem a sério, com vistas à reconciliação e como base para renovada comunhão. Por fim, chama a atenção o fato de que, em todas as antigas orações para a noite, é muito comum encontrar pedidos de proteção contra o diabo e os terrores noturnos. Também se pede com frequência que Deus não permita uma morte repentina, uma morte que não seja bem-aventurada. Os antigos ainda tinham uma noção da fragilidade do ser humano durante o sono, da estreita relação entre sono e morte, da astúcia do diabo, que busca levar o ser humano à queda num momento em que este se encontra indefeso. Mais notável e profunda é a oração da igreja antiga, em que se pede a Deus que permita que, enquanto nossos olhos estão fechados, ainda assim nosso coração esteja alerta e voltado para Deus. É o pedido para que Deus habite conosco e em nós, mesmo quando nada sentimos e de nada estamos cientes. É a oração pedindo que ele conserve nosso coração puro e santo, livre de todas as preocupações e tentações da noite. É o pedido para que Deus permita que nosso coração esteja preparado a qualquer momento para ouvir o chamado dele e mesmo em meio à noite responder como fez o menino Samuel: "Fala, Senhor, porque o teu servo ouve" (1Sm 3.10). Também enquanto dormimos estamos nas mãos de Deus ou sob o poder do maligno. Também enquanto dormimos Deus pode operar maravilhas em nós. Mas existe também o perigo de que o maligno cause estragos em nós. Assim, à noite nós oramos: "Senhor, enquanto dormimos, que esteja voltado a ti o nosso coração; livra-nos de pecado e protege-nos com a tua mão" (Lutero).

Agora, sobre o portal da manhã e da noite encontra-se esta palavra do Saltério, que é dirigida a Deus: "Teu é o dia; tua também é a noite" (Sl 74.16).

3

O dia em isolamento

"Ó Deus, em Sião o silêncio te será como louvor" (Sl 65.1). Muitos buscam a vida em comunhão por terem medo da solidão. Por não mais aguentarem ficar sozinhos, buscam a companhia de outras pessoas. Existem também cristãos que, por não conseguirem resolver seus problemas ou porque tiveram péssimas experiências consigo mesmos, esperam encontrar ajuda na companhia de outras pessoas. Na maioria das vezes se decepcionam, e então transferem para a comunidade a culpa que é só deles. A comunhão cristã não é um sanatório espiritual. Quem entra na comunidade por estar fugindo de si mesmo abusa da comunhão, fazendo com que seja motivo de falatório e distração, por mais espiritual que tudo isso possa parecer. Na verdade, essa pessoa não está em busca de comunhão, mas de um êxtase que lhe permita esquecer a solidão por um breve momento. Mas é exatamente isso que acabará provocando a solidão mortal dessa pessoa. Tais tentativas de cura resultam em subversão da palavra e de toda experiência genuína. Por fim, resultará em resignação e morte espiritual.

Quem não puder ficar sozinho que fique longe da comunidade. Esse apenas causará dano a si mesmo e à comunidade. Você estava sozinho diante de Deus, quando ele o chamou. Foi sozinho que você teve de seguir esse chamado. Foi sozinho que teve de tomar a sua cruz, lutar e orar. E é sozinho que irá morrer e prestar contas para Deus. Você não consegue fugir de si mesmo, e isso porque o próprio Deus separou você. Se você não quiser ficar sozinho, estará desprezado o chamamento que Cristo lhe dirige e não poderá participar da comunhão daqueles que foram chamados. "Nós todos teremos de morrer, e ninguém pode morrer pelo outro. Cada um terá de lutar pessoalmente com a morte. [...] Eu não estarei ao seu lado naquele momento, nem você estará junto de mim" (Lutero).

Mas essa frase pode também ser invertida: *Quem não estiver inserido na comunidade que tome cuidado com o isolamento.* É na igreja que você foi chamado, e esse chamado não foi estendido unicamente a você. É na comunidade daqueles que foram chamados que você leva a sua cruz, luta e ora. Você não está sozinho. Também ao morrer e no dia do juízo final você não deixará de ser um membro da grande igreja de Jesus Cristo. Se você despreza a comunhão dos irmãos, está rejeitando o chamamento de Jesus Cristo, e assim esse isolamento em que você se encontra só lhe será prejudicial. "Se morro, não estou sozinho na morte; se eu sofro, todos (da igreja) sofrem comigo" (Lutero).

Percebemos que somente como parte da comunidade podemos ficar sozinhos, e apenas quem está sozinho pode viver em comunidade. As duas coisas andam juntas. Apenas na comunidade aprendemos corretamente a ficar sozinhos, e é apenas no ato de ficar sozinhos que aprendemos corretamente o que significa fazer parte da comunidade. Não é assim que uma coisa vem antes da outra. Pelo contrário, as duas coisas começam ao mesmo tempo, a saber, com o chamamento de Jesus Cristo.

Se cada uma dessas duas coisas for tomada em isolamento, não faltarão armadilhas e perigos. Quem busca a comunidade sem saber o que é ficar sozinho ficará no vazio das palavras e dos sentimentos. Quem busca ficar sozinho sem saber o que é comunidade cairá na armadilha da vaidade, do amor-próprio e do desespero.

Quem não puder ficar sozinho que fique longe da comunidade. Quem não estiver inserido na comunidade que tome cuidado com o isolamento.

Na experiência de uma comunidade cristã que vive em comunhão, existe tanto o dia de vida em comum quanto o dia do indivíduo em isolamento ou afastado da comunhão. É assim que tem de ser. O dia de vida em comum sem o dia em isolamento é improdutivo tanto para a comunidade quanto para o indivíduo.

A característica principal do isolamento é o silêncio, assim como a palavra é a característica principal da vida em comunhão. Entre silêncio e palavra existe a mesma conexão interna e a mesma diferença que existe entre ficar sozinho e estar em comunhão. Uma coisa não existe sem a outra. A palavra correta emana do silêncio, e o silêncio correto emana da palavra.

Silêncio não equivale a ficar mudo, assim como palavra não equivale a falar. Ficar mudo não resulta em isolamento, e falar não resulta em comunhão. "O silêncio é a desmedida, a intoxicação e o sacrifício da palavra. No entanto, a mudez não é sagrada; é como algo que apenas foi mutilado e não apresentado em sacrifício. [...] Zacarias ficou mudo, quando poderia ter saído do templo em silêncio. Se tivesse aceitado a revelação que lhe foi dada, é possível que teria saído do templo em silêncio, e não mudo" (Ernest Hello). A palavra, que restabelece e une a comunidade, vem acompanhada do silêncio. "Há tempo de ficar calado e tempo de falar" (Ec 3.7).

Assim como o dia do cristão inclui determinados momentos dedicados à Palavra, especialmente os momentos de devoção e oração comunitária, esse dia também precisa de certos momentos de silêncio sob a Palavra e a partir da Palavra. Esses momentos de silêncio serão principalmente momentos que vêm antes e depois de se ouvir a Palavra. A Palavra não se dirige aos que ficam gritando, mas aos que ficam em silêncio. O silêncio que reina no templo é o sinal da santa presença de Deus em sua Palavra.

Existe uma atitude de indiferença, sim, uma forma de resistência que, no ato de silenciar, percebe um desprezo pela revelação de Deus na Palavra. Nesse caso, o silêncio é interpretado erroneamente como um comportamento solene, como um momento místico em que se deseja ir além da Palavra. O silêncio não é mais visto em sua relação essencial com a Palavra, como o simples aquietar-se do indivíduo sob a Palavra de Deus. Ficamos em silêncio antes de ouvir a Palavra, porque os nossos pensamentos já estão voltados para a Palavra, assim como uma criança fica em silêncio ao entrar no quarto do pai. Ficamos em silêncio depois de ouvir a Palavra, porque a Palavra ainda fala, vive e faz a sua morada em nós. Ficamos em silêncio na primeira hora da manhã, porque Deus deve ter a preferência, dirigindo-nos a primeira palavra do dia. E ficamos em silêncio antes de ir dormir, porque Deus deve ter também a última palavra do dia. Ficamos em silêncio unicamente por causa da Palavra. Fazemos isso não para desonrar a Palavra, mas, ao contrário, para dar-lhe a devida honra e acolhê-la de modo correto. Por fim, ficar em silêncio outra coisa não é senão ficar em atitude de expectativa quanto à Palavra de Deus e, depois de ouvi-la, seguir o caminho abençoado por ela. Cada um sabe por si mesmo que, nesta época em que a tônica é simplesmente falar, é mais que necessário aprender a ficar em silêncio. Em última análise, ficar realmente em silêncio, ficar calmo, controlar a língua é apenas a sóbria decorrência desse silêncio espiritual.

Esse silêncio diante da Palavra terá um impacto sobre o dia como um todo. Se tivermos aprendido a ficar em silêncio diante da Palavra, aprenderemos também a administrar o silêncio e a fala ao longo do dia. Existe um silenciar ilícito, por ser uma forma de agradar a si mesmo, um silenciar orgulhoso e ofensivo. Isso já mostra por si mesmo que nunca se trata simplesmente do ato de ficar calado. O silêncio do cristão é um silêncio de alguém que escuta, um silêncio humilde, um silêncio que, em função da humildade, pode ser rompido a qualquer momento. É o silêncio que está conectado com a Palavra. Esse é o significado das palavras de Tomás de Kempis: "Ninguém fala com mais convicção do que aquele que gosta de ficar em silêncio". No ato de silenciar reside um maravilhoso poder de purificação, de concentração naquilo que é essencial. Isso já é assim no âmbito da vida profana. Agora, silenciar diante da Palavra leva à escuta de forma correta e, com isso, também ao correto anúncio da Palavra de Deus na hora apropriada. Muitas coisas desnecessárias ficam sem serem ditas. No entanto, aquilo que é essencial e proveitoso pode ser expresso com poucas palavras.

Se uma comunidade vive em espaço restrito, em que as pessoas ficam próximas umas das outras o tempo todo, o indivíduo dificilmente terá condições de se retirar fisicamente, para esses momentos de necessário silêncio. Em situações como essas, é inevitável que se estabeleçam momentos fixos de silêncio.[1] Depois de um período de silêncio, nosso encontro com o outro será diferente, algo novo. Nesse sentido, em muitas comunidades que vivem em comunhão, será apenas por meio do estabelecimento de regras fixas que se poderá garantir ao indivíduo a possibilidade de ficar a sós. Isso acabará por evitar que a própria comunidade venha a ser prejudicada.

Não queremos neste momento falar a respeito dos mais maravilhosos frutos que podem resultar do isolamento e do silêncio do cristão. No passado, muito facilmente alguém podia enveredar por caminhos perigosos. Também foram relatadas várias experiências sombrias, que podiam se desenvolver a partir do silêncio. O silêncio pode ser um deserto assustador, cheio de espaços vazios e de terror. Pode ser também um paraíso de autoengano, e essas duas coisas são igualmente ruins. Por isso, seja como for, que ninguém espere do ato de ficar em silêncio algo diferente do simples encontro com a Palavra de Deus, que é a rigor o motivo pelo qual se guarda silêncio. Mas esse encontro é recebido como uma dádiva. Que o cristão não estabeleça nenhuma condição sobre como espera que seja ou como deveria ser esse encontro, mas que o aceite do jeito que ele vem, e o seu silêncio será altamente recompensado.

São três as coisas para as quais o cristão precisa de momentos específicos durante o dia: *a meditação das Escrituras*, a *oração*, as *intercessões*. O cristão deve incluir essas três coisas no *período de meditação diária*. Não há nada de novo quanto ao uso da palavra meditação, pois ela é conhecida há muito tempo na igreja e era usada também no tempo da Reforma.

[1] No Seminário de Finkenwalde, esse período de silêncio era de meia hora, no início da manhã.

Alguém poderia perguntar por que se faz necessário tomar um tempo especial para isso, na medida em que já fizemos tudo isso durante o momento devocional comunitário. A resposta será dada naquilo que segue.

O momento devocional serve unicamente para a meditação pessoal das Escrituras Sagradas, a oração pessoal e as intercessões pessoais. Isso, e nada mais. Não há espaço aqui para experiências espirituais. Mas é preciso reservar tempo para essas três coisas mencionadas, porque o próprio Deus as requer de nós. E, se por um bom tempo a meditação não fosse nada a não ser esta uma coisa, que é servir a Deus como nos cabe fazer, isso já seria o suficiente.

O período de meditação não deixa que afundemos no vazio e no abismo do isolamento, antes deixa que fiquemos a sós com a Palavra. Assim, o período de meditação nos põe sobre chão firme e nos dá clara orientação para os passos que temos de dar.

No momento devocional comunitário, fazemos uma leitura contínua de trechos bíblicos mais longos. Já na meditação bíblica pessoal, podemos nos ater a um texto selecionado que é mais breve e que poderia ser o mesmo ao longo de toda uma semana. A leitura bíblica comunitária nos dá uma visão mais ampla do todo das Escrituras. Por outro lado, a meditação pessoal nos põe em contato com as insondáveis profundezas de cada frase e de cada palavra. As duas coisas são necessárias, "para que, com todos os santos, vocês possam compreender qual é a largura, o comprimento, a altura e a profundidade" (Ef 3.18).

Nessa meditação, lemos o texto que nos foi dado com base na promessa de que ele tem algo bem pessoal a dizer para o dia de hoje, tanto a nós pessoalmente quanto à situação de vida em que nos encontramos, como cristãos. Leio o texto na certeza de que ele é Palavra de Deus não apenas para a igreja, mas também Palavra de Deus para mim pessoalmente. Ficamos expostos àquela frase ou palavra específica até que ela nos fale pessoalmente. Com isso, não fazemos nada diferente do que o cristão mais simples e com o menor grau de escolaridade faz diariamente, a saber, lemos a Palavra de Deus como Palavra de Deus para nós. Assim, não perguntamos o que esse texto tem a dizer para os outros. Para nós que somos pregadores, isso significa que nossa preocupação não é como podemos pregar ou ensinar esse texto, mas o que ele tem a dizer para nós de modo bem pessoal. É claro que, nesse processo, precisamos em primeiro lugar ter entendido o texto quanto a seu significado. Mas essa não é a hora de fazer exegese, preparar uma pregação ou um estudo bíblico; é hora de esperar por aquilo que a Palavra de Deus tem a dizer para nós. Não se trata de uma espera vazia, mas de uma espera baseada numa clara promessa. Muitas vezes estamos tão carregados e sobrecarregados com pensamentos e preocupações, que demora até que a Palavra de Deus consiga empurrar tudo isso para um lado e chegar até nós. Mas essa palavra certamente vem, na mesma certeza com que o próprio Deus veio ao mundo e virá outra vez. É exatamente por isso que começaremos a nossa meditação com oração, pedindo a Deus que nos envie seu Espírito Santo por meio de sua Palavra, nos revele sua Palavra e nos ilumine.

Nessa meditação, não é necessário passar por todo o texto, do começo até o fim. Muitas vezes teremos de nos ater a uma única frase ou uma só palavra, porque ela nos prende, nos desafia, não mais permite que a ignoremos. Não é fato que muitas vezes uma palavra como “Pai”, “amor”, "misericórdia", "cruz", "santificação", "ressurreição" já basta para preencher, até com sobra, nosso breve momento de meditação?[2]

Ao meditarmos, não é necessário fazer o esforço no sentido de pensar e orar com o uso de palavras. Um pensar e orar silencioso, que resulta unicamente do ato de ouvir, pode em muitos momentos ser mais proveitoso.

Não é necessário que, durante a meditação, encontremos novos pensamentos ou novas ideias. Tal preocupação muitas vezes apenas nos desvia do foco e satisfaz nossa vaidade. Basta unicamente que a Palavra, assim como a lemos e entendemos, penetre e faça morada em nós. Assim como Maria "meditava em seu coração" as palavras dos pastores de Belém (Lc 2.19), e assim como muitas vezes as palavras de uma pessoa ficam em nossa mente por um longo tempo — fixam morada em nós, agem em nós, nos mantêm ocupados, nos deixam inquietos ou felizes, sem que possamos fazer algo a respeito — de igual modo, na meditação, a Palavra de Deus quer entrar em nós e se fixar em nós. Quer nos mover, quer atuar e agir em nós, de tal forma que ao longo de todo o dia não possamos mais nos livrar dela. E então ela fará sua obra em nós, muitas vezes sem que nos demos conta disso.

Acima de tudo, não é necessário que, durante a meditação, tenhamos algum tipo de experiência inesperada, fora de série. Algo assim pode até acontecer, mas o fato de não acontecer não significa que o tempo de meditação foi em vão. Não apenas no início, mas sempre de novo, de tempos em tempos se fará sentir uma grande aridez e apatia interior, uma falta de

[2]Aqui Bonhoeffer parece estar respondendo à crítica, velada ou aberta, de que aquela meia hora de silêncio no começo do dia era um momento desperdiçado, porque os seminaristas não sabiam o que fazer com ela.

vontade, sim, uma incapacidade para a meditação. Numa situação dessas, não devemos deixar que esse tipo de experiência nos paralise. Acima de tudo, não devemos deixar que essa experiência nos impeça de, com muita paciência e fidelidade, manter vivo nosso momento de meditação. Por isso, não é bom levar demasiadamente a sério as muitas experiências negativas que temos com nós mesmos em nosso momento de meditação. Numa situação dessas, por meio de um atalho piedoso, facilmente poderiam se intrometer a nossa velha vaidade e as nossas ilícitas reivindicações junto a Deus, como se de alguma forma fosse direito nosso termos apenas experiências que nos põem para cima e nos deixam felizes, e como se não fôssemos dignos de experimentar nossa pobreza interior. No entanto, com esse tipo de atitude não chegamos a lugar algum. Por meio de impaciência e autocensura, apenas alimentamos nosso egoísmo e ficamos cada vez mais enredados nas malhas da introspecção. Mas, assim como não damos lugar à autocontemplação na vida cristã em geral, também não existe espaço para isso na meditação. Devemos voltar nosso olhar unicamente para a Palavra, e deixar tudo entregue à eficácia dessa Palavra. É bem possível que o próprio Deus nos traga esses momentos de vazio e aridez, para que outra vez passemos a esperar tudo de sua Palavra. "Busque a Deus, não busque a alegria!" — essa é a regra fundamental de toda meditação. Se você buscar unicamente a Deus, receberá também alegria — essa é a promessa de toda meditação.

A meditação do texto bíblico leva à oração. Já mencionamos o fato de que a melhor maneira de se chegar à oração é deixar-se guiar pela palavra bíblica, ou seja, orar com base numa palavra das Escrituras. Assim, não sucumbimos ao nosso vazio interior. Desse modo, orar não será nada mais que a disposição de aplicar a Palavra à minha vida, à situação pessoal em que me encontro, a saber, às minhas tarefas específicas, às decisões que tenho de tomar, aos pecados e tentações que me afligem. Aquilo que jamais poderia ser abordado na oração comunitária pode ser apresentado a Deus no silêncio da oração pessoal. Com base na palavra bíblica, oramos, pedindo que Deus ilumine nosso caminho ao longo do dia, não permita que caiamos em pecado, nos conceda crescimento na santificação, bem como fidelidade e energia para o trabalho. E podemos ter certeza de que nossa oração será ouvida, porque ela brota da Palavra e da promessa de Deus. A Palavra de Deus teve seu cumprimento em Jesus Cristo. Assim sendo, todas as orações que fazemos com base nessa Palavra certamente são cumpridas e respondidas em Jesus Cristo.

Uma dificuldade bem peculiar relacionada com o momento de meditação é o fato de que, em nossos pensamentos, facilmente nos distraímos e nos entregamos a devaneios. Começamos a pensar em outras pessoas e em determinados acontecimentos de nossa vida. Por mais que isso sempre de novo nos entristeça e nos deixe envergonhados, não devemos perder o ânimo ou ficar angustiados. Também não devemos concluir que não fomos talhados para esse momento de meditação. Poderíamos tentar recolher ou controlar nossos pensamentos à força. No entanto, numa situação dessas, muitas vezes a melhor opção é deixar que de maneira bem tranquila as pessoas e os acontecimentos, com os quais nossos pensamentos sempre querem se ocupar, sejam inseridos em nossa oração. Em seguida, com muita paciência, podemos retornar ao ponto inicial de nossa meditação.

Nossa oração pessoal está conectada com as palavras das Escrituras, e o mesmo se dá com as intercessões. No momento devocional comunitário, não é possível interceder por todas as pessoas pelas quais devemos interceder ou, então, não podemos fazer isso da maneira como se espera de nós. Cada cristão tem um círculo de pessoas que lhe pediram que interceda por elas ou pelas quais ele, por um ou outro motivo, se vê motivado a interceder. Em primeiríssimo lugar, serão aquelas pessoas com as quais ele tem de conviver no dia a dia. Com isso chegamos a um ponto em que ouvimos os batimentos cardíacos de toda a convivência cristã. Uma comunidade cristã vive a partir das intercessões de um membro pelo outro. Se isso não ocorrer, essa comunidade se desintegrará. Por maior que seja o incômodo que um irmão me causa, se eu oro por esse irmão, não posso mais condená-lo ou ter ódio dele. No contexto da intercessão, o rosto dele, que poderia ser estranho ou insuportável para mim, passa a ser a face do irmão pelo qual Cristo morreu, a face de um pecador que foi perdoado. Essa é uma feliz descoberta que pode ser feita pelo cristão que começa a interceder. Não existe nenhuma aversão, nenhuma tensão interpessoal ou ruptura de relações que, no que diz respeito a nós, não possa ser superada pela intercessão. A intercessão é o banho de purificação que o indivíduo e a comunidade precisam tomar diariamente. É bem possível que, na intercessão, se tenha uma luta renhida com o irmão, mas existe a promessa de que isso terá um final feliz.

Como se dá isso? Interceder outra coisa não é senão levar o irmão à presença de Deus. É vê-lo ao pé da cruz de Jesus como o pobre pecador que ele é, necessitado da graça de Deus. Com isso, desaparece tudo aquilo que, em meu irmão, me causa aversão. Com isso, eu o enxergo em toda a sua necessidade e miséria. Com isso, a necessidade e o pecado desse meu irmão se tornam para mim algo tão imenso e opressivo, como se fossem minha necessidade e meu pecado, a ponto de eu apenas poder orar, dizendo: "Senhor, lida tu mesmo e tu somente com esse meu irmão, segundo a tua severidade e a tua bondade". Interceder significa dar ao irmão o mesmo direito que nos foi dado, a saber, o direito de estar na presença de Cristo e ser objeto de sua misericórdia.

Com isso fica evidente que a intercessão é mais um serviço diário que temos de prestar a Deus e ao nosso irmão. Quem se nega a interceder pelo próximo acaba privando esse próximo do serviço cristão. Além disso, ficou claro que a intercessão não é algo genérico ou vago, mas algo bem concreto. Tem a ver com pessoas específicas, com dificuldades específicas e, por conseguinte, com pedidos específicos. Quanto mais concreta a minha intercessão, tanto mais promissora ela será.

Por fim, não podemos evitar a conclusão de que o serviço da intercessão exige tempo, de cada cristão, mas principalmente do pastor, que está encarregado de toda uma igreja. A intercessão por si só, caso fosse feita de forma correta, já tomaria todo o tempo da meditação diária. Em tudo isso se evidencia que a intercessão é um dom da graça de Deus para cada comunidade cristã e para cada cristão individualmente. Na medida em que aqui nos é oferecido algo que é simplesmente irrecusável, nós o aceitaremos alegremente. O tempo que dedicamos à intercessão será para nós uma fonte diária de renovada alegria em Deus e na igreja cristã.

Meditar o texto bíblico, orar e interceder são um serviço que se espera de nós e, nesse serviço, a graça de Deus se torna acessível. Diante da importância disso, devemos criar o hábito de estabelecer um horário fixo, durante o dia, para essa finalidade, como fazemos com todos os demais serviços que realizamos. Não se trata de "legalismo", mas de boa ordem e fidelidade. Para a maioria das pessoas, a primeira hora da manhã será o momento mais adequado. Também quanto a essa hora do dia, nosso direito em relação a ela se sobrepõe ao direito de outras pessoas e, não obstante todas as dificuldades externas, devemos nos impor a observância desse momento de absoluta calma, em que não somos interrompidos por nada nem ninguém. Para o pastor, trata-se de uma tarefa indispensável, da qual depende todo o seu ofício ministerial. Quem poderá ser realmente fiel nas coisas grandes, se não aprendeu a ser fiel nas coisas do dia a dia?

Ao longo do dia, durante muitas horas o cristão se encontra sozinho, num ambiente não cristão. Esses são os momentos da *provação*. É o momento em que o devido período de meditação e a verdadeira comunhão cristã são postos à prova. Será que a comunhão serviu para fazer com o que indivíduo seja livre, forte e maduro, ou será que ela o transformou numa pessoa dependente? A comunhão tomou-o pela mão por alguns instantes, para que reaprendesse a andar com as próprias pernas, ou fez com que ele ficasse com medo e inseguro? Essa é uma das mais importantes e difíceis perguntas a serem feitas a toda e qualquer comunidade cristã. Além disso, aqui será possível verificar se o momento de meditação levou o cristão para dentro de um mundo irreal, do qual ele é arrancado com grande susto no momento em que retorna para seu trabalho no mundo concreto, ou se o momento de meditação o conduziu ao mundo real de Deus, do qual ele sai para enfrentar o dia, fortalecido e purificado. Aqui se decide se o momento de meditação levou o cristão a um êxtase espiritual momentâneo, que se evapora com o ingresso nas atividades do dia a dia, ou se o momento de meditação implantou a Palavra de Deus no coração de forma tão sóbria e profunda, que ela o sustenta e fortalece ao longo de todo o dia, que ela o impulsiona a um amor operoso, à obediência e às boas obras. Apenas o transcurso do dia poderá mostrar se é uma coisa ou outra. A presença invisível da comunhão cristã é uma realidade e uma ajuda para o indivíduo? A intercessão dos outros me sustenta ao longo do dia? A Palavra de Deus está perto de mim como fonte de consolo e poder? Ou será que estou abusando desse período em que estou só, em detrimento da comunhão e para prejuízo da Palavra e da oração? O indivíduo precisa saber que também esse período em que ele se encontra sozinho tem seus reflexos sobre a comunidade. Nesse momento em que se encontra sozinho ele pode destruir e manchar a comunidade, mas pode também fortalecê-la e santificá-la. Cada ato de disciplina pessoal do cristão é também um serviço à comunidade. Em sentido inverso, não existe nenhum pecado tão pessoal ou secreto, em pensamento, palavra ou ação, que não venha a prejudicar a comunidade como um todo. Uma substância nociva entra no corpo, talvez não se saiba de onde veio e em que membro se encontra, mas fato é que o corpo todo fica envenenado. Esse é o retrato da comunidade cristã. Por *sermos* membros de um corpo, em todo o nosso ser e não apenas quando assim o desejamos, cada membro contribui para o corpo como um todo, seja para fortalecer o corpo, seja para enfraquecê-lo. Isso não é teoria, mas uma realidade espiritual que se percebe na comunidade cristã, muitas vezes de forma bem clara, seja no sentido negativo, seja no sentido positivo.

Quem volta para a comunidade cristã que vive em comunhão depois de um dia bem-sucedido traz consigo a bênção dos momentos em que esteve a sós, mas ele próprio recebe outra vez a bênção da comunhão. Bendito aquele que pode ficar a sós amparado pela força que vem da comunhão. Bendito aquele que preserva a comunhão com o poder que vem do ato de estar só. Mas o poder desse estar a sós e o poder da comunhão nada mais são que o poder da Palavra de Deus, aplicado ao indivíduo dentro da comunhão.

4
O serviço

“Surgiu entre eles a ideia de discutir sobre qual deles era o maior” (Lc 9.46). Sabemos muito bem quem semeia tal ideia no solo da comunidade cristã. É possível que não levemos suficientemente em conta o fato de que, sempre que uma comunidade cristã se reúne, não demora a aparecer esse pensamento, que é como uma semente de discórdia. Quando pessoas se reúnem, logo elas começam a observar umas às outras, a julgar, a classificar. Assim, já na origem da comunidade cristã manifesta-se um terrível conflito de vida e morte, um conflito invisível, muitas vezes imperceptível. “Surgiu entre eles a ideia” — é o que basta para destruir a comunhão. Por isso, é de importância vital que, desde o primeiro momento, cada comunidade cristã encare esse perigoso inimigo olho no olho e trate de eliminá-lo. Aqui não há tempo a perder, pois desde o primeiro encontro com outra pessoa o ser humano tenta estabelecer e manter um espírito de competição. Existem os fortes e os fracos. Se a pessoa não é forte, imediatamente toma para si o direito dos fracos e faz uso desse direito contra os fortes. Existem aqueles que receberam dons e aqueles que não os receberam, as pessoas simples e os eruditos, os piedosos e os menos piedosos, os comunicativos e os introvertidos. Não é assim que aquele que não tem dons pode assumir uma posição tanto quanto aquele que os recebeu, aplicando-se o mesmo à relação entre um erudito e uma pessoa simples? E se não tenho dons, é possível que eu seja piedoso. Ou, se não sou piedoso, talvez nem mesmo queira ser piedoso. O indivíduo comunicativo pode num instante tomar conta de tudo e deixar escancarada a inadequação daquele que é introvertido, e o introvertido pode se tornar um inimigo inflexível daquele que é comunicativo e por fim triunfar sobre ele. Cada pessoa encontra com instintiva certeza uma posição na qual pode se firmar e a partir da qual consegue se defender, posição pela qual luta com todo o seu instinto e assertividade. Essa posição jamais é cedida ao outro. Tudo isso pode ocorrer da forma mais civilizada ou até mesmo piedosa que se possa imaginar, mas o fato é que uma comunidade cristã precisa saber que certamente de algum modo surgirá "entre eles a ideia de discutir sobre qual deles era o maior". Trata-se da luta do homem natural em busca de autojustificação, e ele só a encontra na comparação com o outro, no julgamento e no veredicto em relação ao outro. Autojustificar-se e julgar são duas coisas que andam juntas, do mesmo modo como ser justificado por graça e servir fazem parte do mesmo pacote.

Muitas vezes, a forma mais eficaz de combater nossos maus pensamentos é impedir que eles sejam verbalizados ou se manifestem em palavras. Sabemos que o espírito da autojustificação só pode ser vencido pelo Espírito da graça. Com a mesma certeza podemos dizer que os pensamentos avulsos com que julgamos os outros só podem ser mantidos sob controle e sufocados, se nunca lhes damos o direito de se externalizarem em palavras, a não ser na forma de confissão de pecados, a respeito da qual falaremos mais adiante. Quem refreia sua língua tem controle sobre corpo e alma (Tg 3.1-12). Assim, uma regra fundamental da vida comunitária cristã é proibir que o indivíduo fale pelas costas a respeito de seu irmão. É claro que isso não inclui a conversa pessoal em que se admoesta um irmão, como ainda veremos. Proíbe-se, isto sim, falar a respeito do outro quando ele não está presente, mesmo quando isso é feito sob um pretexto de ajuda e amabilidade. Porque é precisamente no caráter de coisa oculta que o espírito de ódio ao irmão sempre se intromete, buscando causar dano. Não cabe, neste espaço, detalhar as limitações específicas dessa regra, que fundamentam cada decisão específica. A questão está clara e é bíblica: "Você se assenta e fala contra seu irmão e difama o filho de sua mãe, mas agora eu o repreenderei e porei tudo à sua vista" (Sl 50.20-21). "Irmãos, não falem mal uns dos outros. Aquele que fala mal do irmão e julga o irmão fala mal da lei e julga a lei. Agora, se você julga a lei, você não é alguém que cumpre a lei, mas um juiz. Existe apenas um Legislador, que pode salvar e condenar. Quem é você para julgar o outro?" (Tg 4.11-12). "Não saia da boca de vocês nenhuma palavra suja, mas apenas o que for bom para edificação, conforme a necessidade, transmitindo graça aos que ouvem" (Ef 4.29).

Se esse controle sobre a língua for exercido desde o início, a pessoa fará uma descoberta impressionante. Poderá parar de observar o outro de forma ininterrupta, de julgá-lo, de condená-lo, de indicar-lhe uma posição específica de subordinação, num ato de violência contra ele. Poderá deixar que o irmão fique completamente livre, na liberdade com que Deus o colocou ao lado dele. O olhar se amplia, e, para a sua surpresa, pela primeira vez reconhece em relação a seus irmãos a riqueza da gloriosa atividade criadora de Deus. Deus não fez essa outra pessoa assim como eu a teria feito. Essa pessoa me foi entregue por Deus para ser meu irmão, não para que eu exerça domínio sobre ele, mas para que, olhando para além dele, eu encontre o Criador. Assim, nessa liberdade que lhe foi conferida pela criação, a outra pessoa se torna para mim motivo de alegria, quando antes representava para mim apenas incômodo e problema. Deus não quer que eu molde a outra pessoa à imagem que me parece a mais adequada, a saber, à minha própria imagem. Acontece que, em sua liberdade em relação a mim, Deus fez a outra pessoa à sua imagem, isto é, à imagem de Deus. Nunca posso saber de antemão qual será o aspecto dessa imagem de Deus nas outras pessoas, pois essa imagem terá sempre uma forma totalmente nova, baseada unicamente no soberano ato criativo de Deus. A mim, essa imagem pode parecer estranha, até mesmo algo que não parece divino. Mas Deus molda o outro à imagem de seu Filho, o Crucificado, uma imagem que também me parecia estranha e pouco divina, antes que eu entendesse o seu significado.

Assim, o fato de alguém ser forte ou fraco, ser sábio ou ter falta de sabedoria, ter recebido dons ou não, ser piedoso ou não ser tão piedoso assim — toda essa diversidade de indivíduos na comunidade deixa de ser motivo para falar, julgar, condenar, sim, para se autojustificar. Pelo contrário, torna-se motivo de alegria mútua e de serviço mútuo. Também agora cada membro da comunidade é colocado em seu devido lugar, só que não naquele lugar em que esse membro se considera mais bem-sucedido, mas o lugar em que pode realizar o seu serviço da melhor maneira possível. Numa comunidade cristã, tudo depende do fato de cada indivíduo ser um indispensável elo de uma corrente. Quando até mesmo o menor elo se mostra resistente, a corrente não pode ser rompida. Uma comunhão que permite a existência de elos ou membros que não são utilizados se desintegrará por causa deles. Por isso, é recomendável que cada indivíduo tenha determinada tarefa a realizar para a comunidade. Assim, em momentos de dúvida, saberá que também ele não é alguém supérfluo e incapaz de fazer algo. Cada comunidade cristã precisa saber que não apenas os fracos necessitam dos fortes, mas que também os fortes não podem existir sem os fracos. A exclusão dos fracos decreta a morte da comunidade.

A comunidade cristã deve ser regida pela justificação por graça, que resulta em serviço, e não pela autojustificação, que resulta em abuso. Quem em algum momento de sua vida experimentou a misericórdia de Deus, esse terá a partir daquele momento um só desejo, o desejo de servir. Esse não mais se vê atraído pela cadeira de juiz lá no alto, mas deseja mesmo estar cá embaixo, em meio aos miseráveis e simples, porque foi ali que Deus o encontrou. "Não busquem as coisas elevadas, mas atenham-se às coisas humildes" (Rm 12.16).

Quem quer aprender a servir precisa em primeiro lugar aprender a não se achar melhor do que realmente é. "Que ninguém pense de si mesmo além do que convém" (Rm 12.3). "Conhecer a si mesmo de forma adequada e aprender a não pensar de si mesmo além do que convém é a tarefa mais sublime e mais necessária. Não se julgar importante e sempre ter os outros em alto conceito é a suprema sabedoria e perfeição" (Tomás de Kempis). "Não fiquem pensando que são sábios" (Rm 12.17). Somente quem vive a partir do perdão de sua culpa em Jesus Cristo saberá que não pode pensar de si mesmo além do que convém. Esse saberá que sua sabedoria foi reduzida a nada quando Cristo lhe concedeu o perdão. Esse se lembrará da esperteza de Adão e Eva, que queriam saber o que é o bem e o mal e que, nessa esperteza, pereceram. O primeiro ser humano que nasceu neste mundo foi Caim, aquele que assassinou o próprio irmão. Esse é o fruto da esperteza do ser humano. Por não mais poder se considerar sábio, o cristão não pensará a respeito de seus planos e pontos de vista além do que convém. O cristão saberá que é salutar que a vontade pessoal se desfaz no encontro com o próximo. Estará disposto a considerar a vontade do próximo como mais importante e urgente do que a vontade pessoal. Que mal haverá em cancelar os planos pessoais? Não é melhor servir o próximo do que impor a vontade pessoal?

Não é apenas a vontade do outro que é mais importante do que a minha, pois isso vale também para a sua honra. "Como podem crer, vocês que aceitam honra uns dos outros e não procuram a honra que vem unicamente de Deus?" (Jo 5.44). Procurar honra pessoal atrapalha a fé. Quem busca honra para si não está mais em busca de Deus e do próximo. Que mal há, se sou tratado com injustiça? Será que não mereci um castigo mais severo da parte de Deus, castigo que eu receberia, se Deus não tratasse comigo segundo a sua misericórdia? Não é verdade que, também numa situação de injustiça, o que me sucede é mil vezes justo? Será que aprender a suportar em silêncio e com paciência um mal tão insignificante não acabará sendo proveitoso e bom com vistas à humildade? "A paciência é melhor do que a arrogância" (Ec 7.8). Quem vive a partir da justificação por graça está preparado para receber afrontas e insultos sem protesto, como algo que vem das mãos disciplinadoras e graciosas de Deus. Não é bom sinal quando não se pode mais ouvir e suportar isso sem imediatamente lembrar que também Paulo, por exemplo, apelou para seu direito de cidadão romano (At 22.25) e que Jesus perguntou a quem o maltratava: "Por que você está me batendo?" (Jo 18.23). Seja como for, nenhum de nós poderá agir como Jesus e Paulo agiram, se não tiver antes aprendido a silenciar em meio a insultos e humilhação, como eles silenciaram. Esse pecado de se ofender facilmente, que se manifesta com tanta rapidez no seio da comunidade, mostra sempre de novo o quanto de ambição desordenada, para não dizer o quanto de incredulidade, ainda se faz presente na comunidade.

Por fim, é preciso dizer ainda algo da maior importância. Não se considerar sábio, manter-se humilde em meio às pessoas simples significa considerar-se o maior de todos os pecadores, num sentido literal e de forma bem consciente. O ser humano natural resiste a isso com todas as suas forças, e o mesmo é feito inclusive pelo cristão consciente de si. Soa como um exagero, como uma inverdade. Mas Paulo afirmou a respeito de si mesmo que era o principal pecador, isto é, o maior de todos (1Tm 1.15), e isso num contexto em que falava sobre seu ministério apostólico. A única confissão de pecados autêntica é aquela que me conduz a esse ponto mais profundo de dizer que sou o maior de todos os pecadores. Se de alguma forma, em comparação com o pecado dos outros, o meu pecado ainda me parece menos grave, menos condenável, então ainda estou longe de reconhecer meu pecado. Meu pecado é necessariamente o maior de todos, é o mais grave, é o mais condenável. Para os pecados dos outros, o amor fraterno encontra um monte de desculpas; para o meu pecado não existe desculpa alguma. Por isso ele é o mais grave. Quem quiser servir o irmão no contexto da comunidade precisa chegar a esse ponto mais profundo da humildade. Como poderia eu servir alguém com humildade não fingida, se, com toda a seriedade, os pecados dessa pessoa me parecem mais graves que os meus próprios? Será que isso não fará com que eu me coloque acima dessa pessoa? Posso ainda ter esperança em relação a ela? Acabaria sendo um serviço fingido, hipócrita. "Não pense que você avançou um passo sequer na obra da santificação, se você não sente lá no fundo que é menos importante que todos os outros" (Tomás de Kempis).

Como é que esse autêntico serviço fraterno acontece na prática, dentro da comunidade cristã? Hoje facilmente temos a tendência de pensar e logo dizer que o único serviço ao próximo que realmente conta é o serviço que prestamos com a Palavra de Deus. Sim, é verdade que esse é um serviço sem igual e que todas as outras formas de serviço se relacionam com ele. No entanto, uma comunidade cristã não é feita unicamente de pregadores da Palavra. Seria um terrível abuso, se essa percepção fizesse com que vários outros serviços fossem ignorados.

O *primeiro* serviço que se pode prestar na relação de uns para com os outros, dentro da comunidade, é ouvir o outro. Assim como o nosso amor a Deus começa com o ato de ouvirmos a sua Palavra, também o amor ao próximo começa com o ato de aprender a ouvir o que esse próximo tem a dizer. Deus nos ama não apenas por nos dar a sua Palavra, mas também por estar de ouvidos abertos para nós. Assim, se aprendemos a ouvir o nosso irmão, estamos fazendo a obra de Deus em relação a esse irmão. Cristãos, de modo especial pregadores, muitas vezes pensam que, sempre que estão na companhia de outras pessoas, precisam ter "algo a dizer", e que esse é o único serviço que podem prestar. Esquecem que ouvir pode ser um serviço mais nobre do que falar. Muitas pessoas estão em busca de um ouvido aberto, alguém que as escute, e não encontram esse alguém entre os cristãos, porque esses também falam nos momentos em que deveriam ouvir. No entanto, quem não mais consegue ouvir o que o seu irmão tem a dizer em breve deixará de ouvir o que Deus tem a dizer, pois ficará o tempo todo falando também na presença de Deus. Esse será o começo do fim da vida espiritual. No final restará apenas o blá-blá-blá espiritual, a condescendência beata, que é asfixiada por palavras piedosas. Quem não consegue ouvir com paciência por um longo período de tempo acaba nunca se comunicando com o outro e, por fim, nem mais percebe que isso está acontecendo. Quem pensa que seu tempo é precioso demais para ficar ouvindo os outros na verdade nunca terá tempo para Deus e para seus irmãos; terá tempo apenas para si mesmo, para seus próprios planos e para o que ele próprio tem a dizer.

A cura d'almas no contexto da comunhão fraterna difere essencialmente da pregação no seguinte fato: aqui a tarefa de ouvir toma o lugar da tarefa de falar. Existe também aquela escuta superficial ou só pela metade, em que se parte do pressuposto de que já se sabe o que o outro tem a dizer. É aquela escuta impaciente, desatenta, que não leva o irmão a sério e em que apenas aguardamos o momento de finalmente tomarmos a palavra e, assim, nos livrarmos do outro. Isso é tudo menos cumprir nossa tarefa de ouvir o outro. E é certo também que nessa nossa postura em relação ao irmão apenas se reflete o que ocorre em nosso relacionamento com Deus. Se não estamos dispostos a dar ouvidos a nosso irmão em coisas de menor importância, não é de admirar que não estejamos dispostos a prestar o serviço de escuta mais importante do qual Deus nos incumbiu, a saber, ouvir a confissão de pecados de um irmão. Hoje, o mundo pagão já se deu conta de que, muitas vezes, apenas se pode ajudar uma pessoa quando se ouve de forma atenta o que ela tem a dizer. Com base nessa percepção, o mundo pagão desenvolveu uma cura d'almas própria, secular, à qual acorrem multidões, cristãos inclusive.[1] Acontece que os cristãos se esqueceram de que o ofício de ouvir lhes foi entregue por aquele Deus que é ele próprio o grande ouvinte e que deseja que os cristãos participem dessa ação de escutar. Devemos escutar com os ouvidos de Deus, para podermos falar com a Palavra de Deus.

O *outro* serviço que uma pessoa deve prestar, dentro de uma comunidade cristã, é a efetiva disposição de ajudar. Aqui se pensa inicialmente na simples ajuda em coisas pequenas do dia a dia. Na vida de cada comunidade existe uma grande lista de coisas que podem ser feitas. Ninguém é tão bom que possa usar isso como desculpa para não fazer os serviços mais simples.[2] A preocupação quanto à perda de tempo envolvida na prestação de pequenos serviços no dia a dia resulta do fato de que, em geral, levamos demasiadamente a sério nosso próprio trabalho. Devemos estar prontos para aquele momento em que Deus nos interrompe. Sempre de novo, sim, diariamente Deus cancela nossos planos e projetos, colocando em nosso caminho pessoas com seus pedidos e suas necessidades. Podemos, então, passar de largo essas pessoas, ocupados com as coisas importantes de nosso dia a dia, assim como aquele sacerdote — quem sabe lendo a Bíblia — passou de

[1] Bonhoeffer escreve com conhecimento de causa, porque seu pai, Karl Bonhoeffer, era professor dessa área, na Universidade de Berlim.

[2] Eberhard Bethge, amigo e depois biógrafo e editor dos escritos de Bonhoeffer, conta um episódio que ilustra a verdade enunciada nesta seção. Houve um pedido de ajuda, vindo da cozinha do seminário, durante uma refeição. Nenhum aluno atendeu. Bonhoeffer levantou-se e foi à cozinha ajudar. Constrangidos, alguns alunos quiseram tomar o lugar do diretor, mas ele não permitiu que entrassem na cozinha.

largo e ignorou aquele homem que tinha caído nas mãos de alguns ladrões. Assim, passamos de largo o sinal da cruz que aparece bem visível em nossa vida e que nos quer mostrar que o que importa não é o nosso caminho, mas o caminho de Deus. É estranho que, de todas as pessoas, cristãos e teólogos são precisamente aqueles que muitas vezes consideram seu trabalho tão importante e urgente que não admitem qualquer interrupção. Pensam que com isso estão servindo a Deus, mas na verdade desprezam o "tortuoso e não obstante reto caminho" de Deus (Gottfried Arnold). Não querem saber nada a respeito de como os caminhos humanos podem ser barrados. Mas faz parte da escola da humildade que não nos recusemos a estender a mão, se ela puder prestar algum serviço. Não devemos nos tornar senhores de nosso tempo, mas deixar que ele seja preenchido por Deus. No mosteiro, o voto de obediência diante do abade tira do monge o direito de dispor de seu tempo. Na vida comunitária num contexto evangélico, o voto é substituído pelo serviço que se presta livremente ao irmão. Apenas podemos anunciar, com alegria e credibilidade, a Palavra a respeito do amor e da misericórdia de Deus quando entendemos que as nossas mãos não são finas ou delicadas demais para realizar obras de amor e misericórdia na cooperação diária.

Em terceiro lugar, falamos sobre o serviço que consiste em suportar os outros. "Que um leve a carga do outro, e assim vocês estarão cumprindo a lei de Cristo" (Gl 6.2). Assim, a lei de Cristo é uma lei que tem a ver com levar cargas. Levar cargas implica sofrimento. O irmão é uma carga para o cristão, exatamente para o cristão. Para o *pagão*, o outro nunca se torna uma carga. O pagão fica longe de qualquer carga que o outro possa vir a representar. O cristão, por sua vez, precisa levar a carga do irmão. Precisa suportar o irmão. Apenas na condição de carga é que o outro é de fato um irmão, e não um objeto que se pode controlar. A carga dos seres humanos foi tão pesada para Deus que, sob o peso dessa carga, ele teve de ir até a cruz. Deus efetivamente carregou os seres humanos no corpo de Jesus Cristo. Mas ele os carregou assim como a mãe carrega seu filho, como o pastor carrega o cordeiro que se perdeu. Deus assumiu a humanidade, e então os seres humanos o apertaram contra o chão. Mas Deus ficou ao lado deles e eles ficaram ao lado de Deus. Ao carregar os seres humanos, Deus entrou em comunhão com eles. Essa é a lei de Cristo, que se cumpriu na cruz. Dessa lei os cristãos se tornam participantes. Eles devem carregar e suportar os irmãos, mas — e isto é o mais importante — eles agora também podem carregar os irmãos, uma vez que a lei de Cristo já foi cumprida.

Chama a atenção o grande número de referências bíblicas a carregar ou levar sobre si. As Escrituras podem, com esse termo, expressar toda a obra de Jesus Cristo. "Verdadeiramente ele carregou a nossa enfermidade e as nossas dores ele tomou sobre si; o castigo que nos traz a paz estava sobre ele" (Is 53.4). Por isso, a Bíblia também pode caracterizar toda a vida do cristão como sendo um ato de carregar a cruz. Trata-se da comunhão do corpo de Cristo, que aqui se torna realidade. Trata-se da comunhão da cruz, em que um sente a carga do outro. Não fosse assim, ou seja, caso não tivéssemos essa experiência, não seria uma comunhão cristã. Quem se recusa a levar essa carga despreza a lei de Cristo.

Em primeiro lugar, o que se torna uma carga para o cristão é a *liberdade* do outro, da qual já falamos anteriormente. Essa liberdade contradiz o conceito elevado que o cristão tem de si mesmo, mas mesmo assim ele tem de reconhecê-la. Ele poderia se livrar dessa carga, não permitindo ao outro sua liberdade, mas fazendo-lhe violência, querendo moldá-lo à sua imagem. Mas ao permitir que Deus molde o outro à sua imagem, isto é, à imagem de Deus, o cristão permite que o outro seja livre e carrega ele mesmo a carga dessa liberdade dos outros seres criados. Da liberdade do outro faz parte tudo aquilo que entendemos como sendo natureza, individualidade e capacidades. Fazem parte também as fraquezas e as idiossincrasias ou esquisitices do outro, que testam nossa paciência até seu limite. Faz parte aquilo que traz à tona todos os atritos, as diferenças e as divergências entre mim e a outra pessoa. Levar a carga do outro significa, nesse caso, suportar a realidade do outro como criatura de Deus, afirmar essa realidade e, ao suportá-la, acabar por alegrar-se com ela.

Especialmente difícil é a situação em que fortes e fracos na fé integram a mesma comunidade. O fraco não deve julgar o forte, e o forte não deve desprezar o fraco. O fraco deve guardar-se do orgulho, o forte deve precaver-se contra a indiferença. Ninguém deve buscar seus direitos. Se o forte tropeça, o fraco não deve tripudiar ou alegrar-se com a desgraça alheia. Se o fraco tropeça, o forte deve bondosamente ajudá-lo a se erguer outra vez. Tanto um quanto o outro precisam de paciência. "Ai do que estiver só! Quando ele cai, não há quem o levante" (Ec 4.10). As Escrituras falam também sobre esse suportar o outro em sua liberdade, ao aconselhar: "Suportem-se uns aos outros" (Cl 3.13). "Vivam com toda humildade, mansidão e paciência, e suportem um ao outro em amor" (Ef 4.2).

À liberdade do outro precisa ser acrescentado o abuso dessa liberdade por meio do *pecado*, que se torna uma carga do cristão em relação a seu irmão. O pecado do outro é ainda mais difícil de carregar do que a sua liberdade, porque, nessa situação de pecado, rompe-se a comunhão com Deus e com os irmãos. Aqui o cristão suporta a ruptura da comunhão com o outro, estabelecida em Jesus Cristo. Nesse ato de carregar, porém, manifesta-se claramente a imensa graça de Deus. Não desprezar o pecador, mas poder carregá-lo significa não dá-lo por caso perdido; é poder aceitá-lo, garantir-lhe a comunhão por meio do perdão. "Queridos irmãos, se alguém for surpreendido em algum pecado, ajudem-no com espírito de brandura para que seja restaurado" (Gl 6.1). Assim como Cristo nos carregou e nos aceitou como pecadores, podemos, na sua comunhão, carregar e aceitar pecadores na comunidade de Jesus Cristo, por meio do perdão dos pecados. Podemos suportar os pecados do irmão; não precisamos julgar. Isso é graça para o cristão. Pois todo pecado cometido dentro da comunidade leva o cristão a se examinar e acusar quanto à sua própria falta de fidelidade na oração e na intercessão, quanto ao pouco que tem feito no âmbito do serviço, na admoestação e no consolo dos irmãos. Sim, todo pecado cometido dentro da comunidade leva o cristão a se examinar e acusar em relação a seus próprios pecados, a sua falta de disciplina espiritual, com a qual ele causou dano a si mesmo, aos irmãos e à comunidade. Cada pecado pessoal sobrecarrega e incrimina toda a comunidade. Por isso, a comunidade se alegra em meio a todo o sofrimento e debaixo da carga que lhe é imposta pelo pecado de um irmão, por entender que ela foi considerada digna de suportar e perdoar pecados. "Veja, assim você carrega todos os outros e eles, por sua vez, carregam você, e todos têm tudo em comum, tanto as coisas boas quanto as coisas ruins" (Lutero).

Esse serviço do perdão na relação de uns para com os outros é prestado diariamente. Ele ocorre *sem palavras* na intercessão de uns pelos outros. E cada membro da comunidade, que não se cansa na prestação desse serviço, pode estar certo de que o mesmo serviço lhe está sendo prestado pelos irmãos. Quem carrega sabe que também está sendo carregado, e apenas com essa força é que ele próprio pode se dispor a carregar.

Apenas onde se presta fielmente o serviço de ouvir, de estar disposto a ajudar e de carregar os outros pode também ser prestado o último e maior de todos os serviços, a saber, o serviço com a Palavra de Deus.

Trata-se, nesse caso, daquela palavra espontânea que uma pessoa dirige a outra pessoa, ou seja, uma palavra que não está amarrada a um ofício, momento e lugar específico. Trata-se daquela situação única em que uma pessoa, com palavras bem simples, dá testemunho a outra pessoa a respeito de todo o consolo e da admoestação de Deus, a respeito da bondade e da severidade de Deus. Essa palavra é falada em meio a um grande número de perigos. Se não tiver havido uma cuidadosa escuta antes dessa fala, como poderia essa palavra ser a palavra certa para o outro? Se essa palavra não vier acompanhada de uma disposição de ajudar o outro na prática, como poderia essa palavra ser recebida como verdadeira e confiável? Se essa palavra não deriva do contexto em que se levam as cargas dos outros, mas deriva da impaciência e da vontade de se impor aos outros, como poderia ser uma palavra libertadora e terapêutica? Em contrapartida, muito facilmente alguém se cala em situações nas quais de fato se ouviu, serviu e carregou os outros. A profunda desconfiança em relação àquilo que não passa de meras palavras muitas vezes sufoca essa palavra pessoal que se pode dirigir ao irmão. O que pode uma frágil palavra humana realizar na vida de outra pessoa? Devemos continuar fazendo discursos vazios? Devemos, a exemplo dos que se consideram especialistas em questões espirituais, falar sem nunca tocar na verdadeira necessidade do outro? O que poderia ser mais perigoso do que falar a Palavra de Deus em excesso? Por outro lado, quem está disposto a assumir a responsabilidade de ter calado quando tinha o dever de falar? A palavra formal, ordenada, que se proclama do púlpito vem com muito mais facilidade do que essa palavra totalmente livre, que se localiza entre a responsabilidade de ficar calado e de falar.

Ao temor diante da responsabilidade pessoal de falar a palavra é preciso acrescentar o medo em relação ao outro. Como nos custa, muitas vezes, falar até mesmo o nome "Jesus Cristo" na presença de um irmão. Também aqui aparece uma mistura entre certo e errado. Quem tem o direito de se intrometer na vida do próximo? Quem tem autorização para lhe fazer perguntas, confrontá-lo, falar com ele sobre questões últimas? Não seria sinal de grande discernimento espiritual querer simplesmente dizer que cada um tem essa autorização, sim, essa responsabilidade. Nessa situação, o espírito de fazer violência ao próximo poderia mais uma vez se manifestar da pior forma possível. O outro tem na verdade o seu direito, a sua responsabilidade e também o dever pessoal de se defender de intromissões indevidas. A outra pessoa tem o seu segredo, que não deve ser devassado, a menos que se queira causar grande dano, e do qual essa pessoa não deve abrir mão, a menos que queira destruir a si mesma. Não se trata de segredos relacionados com conhecimento ou sentimentos, mas o segredo da liberdade dessa pessoa, o segredo de sua redenção, do ser dessa pessoa. No entanto, também é verdade que essa compreensão adequada das coisas se aproxima perigosamente da pergunta feita pelo assassino Caim: "Por acaso sou o guardador de meu irmão?" (Gn 4.9). Esse respeito pela liberdade do outro, que tem uma fundamentação aparentemente espiritual, pode incorrer na maldição da Palavra de Deus, que diz: "O sangue dele eu vou requerer da mão de você" (Ez 3.18).

Onde cristãos convivem, em algum momento e de alguma forma precisa aparecer essa situação em que um se dirige ao outro com um testemunho pessoal da Palavra e da vontade de Deus. É impensável que, numa conversa entre irmãos, não se possa falar a respeito dos assuntos que são os mais importantes para cada um individualmente. Trata-se de atitude não cristã, quando uma pessoa deliberadamente se nega a prestar, em relação a outra pessoa, o serviço mais essencial de todos. Se não conseguirmos verbalizar isso, teremos de nos examinar para ver se não estamos vendo o nosso irmão unicamente sob a perspectiva de sua dignidade humana, na qual não ousamos tocar, levando-nos a esquecer o mais importante. Esse dado mais importante, que não podemos esquecer, é que também ele, por mais velho, eminente e respeitado que seja, é uma pessoa como nós, alguém que, como pecador, clama pela graça de Deus. Assim como nós, ele é uma pessoa que tem grandes dificuldades e, assim como nós, necessita de ajuda, consolo e perdão. Em que se baseia esse fato de cristãos poderem falar uns com os outros? É o fato de um saber que o outro é pecador (e vice-versa), alguém que, mesmo altamente honrado entre as pessoas, fica abandonado e se perde, caso não receba ajuda. Isso não significa que se está desprezando ou desonrando a outra pessoa. Pelo contrário, significa dar ao outro a única verdadeira honra que o ser humano tem, a saber, que, como pecador, ele pode se tornar participante da graça e da glória de Deus, ou seja, que ele é filho de Deus. Esse conhecimento confere à palavra que é falada entre irmãos a necessária liberdade e franqueza. Falamos um para o outro a respeito da ajuda de que ambos necessitamos. Mutuamente nos admoestamos a seguir no caminho em que Cristo quer que andemos. Mutuamente nos advertimos a evitar a desobediência, que seria a nossa ruína. Somos brandos e enérgicos uns para com os outros, pois conhecemos a bondade e a severidade de Deus. Por que deveríamos ficar com medo na presença dos outros, se o único que devemos temer é Deus? O que nos levaria a supor que o irmão não nos entenderá, considerando que nós mesmos entendemos muito bem o que alguém, talvez com palavras desajeitadas, nos falou em forma de consolo ou admoestação da parte de Deus? Ou será que acreditamos que talvez exista pelo menos uma pessoa que não necessita de consolo ou de admoestação? Por que, então, teria Deus nos concedido a graça de fazermos parte de uma irmandade cristã?

Quanto mais admitirmos que outra pessoa nos fale a Palavra, aceitando com humildade e gratidão até mesmo admoestações e repreensões severas, tanto mais livres e objetivos seremos para levar essa Palavra a outros. Quem, devido a melindre ou vaidade, rechaça a palavra séria que é falada por um irmão também não pode com humildade falar a verdade ao outro, porque teme ser rechaçado e, com isso, mais uma vez se sentir magoado. Aquele que tem os seus melindres acaba sempre se tornando um bajulador e com isso ao mesmo tempo alguém que despreza e fala mal de seu irmão. O humilde, por sua vez, permanece tanto na verdade quanto no amor. Permanece na Palavra de Deus e permite que Deus o direcione ao irmão. Por não buscar o que é seu e por não ter nada a temer, pode ajudar o outro por meio da Palavra.

Se um irmão cometeu pecado manifesto, é indispensável que ele seja repreendido, pois a Palavra de Deus o exige. A disciplina da comunidade começa no círculo mais restrito. Se o afastamento da Palavra de Deus no ensino ou na vida coloca em risco a pequena comunidade e, por extensão, toda a comunidade de fé, a palavra que admoesta e repreende precisa entrar em ação. Nada pode ser mais cruel que a brandura que deixa o outro entregue a seu pecado. Nada pode ser mais misericordioso que a severa repreensão que chama o irmão para fora do caminho do pecado. Trata-se de um serviço de misericórdia, uma última oferta de verdadeira comunhão, quando deixamos que a Palavra de Deus, e apenas ela, se coloque entre nós, julgando e auxiliando. Nesse caso, não somos nós que julgamos. Quem julga é unicamente Deus, e o julgamento de Deus é proveitoso e salutar. Até o último momento, podemos apenas servir o irmão, nunca nos colocando acima dele. Ainda lhe prestamos um serviço quando lhe anunciamos a Palavra de Deus, que julga e faz separação, quando em obediência a Deus interrompemos a comunhão com ele. Afinal, sabemos que não é por meio do nosso amor humano que nos mantemos fiéis em relação ao outro, mas trata-se do amor de Deus, que por meio do juízo alcança o ser humano. Na medida em que julga, a palavra de Deus presta um serviço ao ser humano. Quem se deixa servir por meio do juízo de Deus, esse recebe ajuda. Esse é o ponto em que fica evidente o quanto é limitada toda e qualquer ação humana em relação ao irmão: "A um irmão, na verdade, ninguém pode remir, nem reconciliá-lo com Deus; porque a redenção da alma deles é caríssima, e cessará a tentativa para sempre" (Sl 49.7-8). Essa renúncia de nossa capacidade é precisamente o pressuposto e o reconhecimento de que a ajuda redentora a um irmão pode vir unicamente da Palavra de Deus. Não temos controle sobre a vida do irmão. Não podemos manter intacto o que está por quebrar; não podemos manter com vida o que está fadado a morrer. Mas Deus une quando quebra, cria comunhão quando separa, concede graça por meio do juízo. No entanto, ele colocou sua Palavra em nossa boca. Ele quer que essa Palavra seja falada por nós. Se colocarmos obstáculos diante da Palavra de Deus, o sangue do irmão que peca recairá sobre nós. Se anunciarmos a Palavra de Deus, ele resgatará o outro por nosso intermédio. "Quem converte um pecador de seu caminho errado salvará da morte a alma dele e cobrirá uma multidão de pecados" (Tg 5.20).

"Quem quiser tornar-se grande entre vocês, esse deve ser o servo de vocês" (Mc 10.43). Jesus conectou a autoridade dentro da comunidade ao serviço fraterno. Autoridade espiritual autêntica só existe ali onde se presta o serviço de ouvir, ajudar, suportar e proclamar. Qualquer espécie de culto de personalidade relacionado com qualidades especiais, habilidades, poderes e dons especiais de outra pessoa, por mais espiritual que tudo isso possa parecer, é coisa deste mundo e não cabe na igreja cristã. Na verdade, tudo isso envenena a igreja. Essa vontade, tantas vezes expressa em nossos dias, de se ter "figuras episcopais", "pessoas sacerdotais", "personalidades marcantes" resulta não raras vezes dessa necessidade espiritual doentia de se ter a admiração das pessoas, de se estabelecer uma autoridade humana visível, porque a autoridade autêntica do serviço parece algo simples demais. A mais enfática objeção a esse desejo aparece no Novo Testamento, na descrição do bispo (1Tm 3.1-7). Aqui não aparece nada nem parecido com as encantadoras habilidades humanas ou com as brilhantes qualidades de uma personalidade espiritual. O bispo é o homem simples, fiel, sadio na fé e na vida, que desempenha bem o seu serviço na igreja. Sua autoridade reside no desempenho de seu serviço. Na pessoa em si não há nada que possa ser admirado. A obsessão por esse tipo de autoridade não autêntica acabará reinstituindo na igreja um tipo de imediação ou caráter imediato, uma vinculação direta a pessoas. A autoridade autêntica sabe que qualquer caráter imediato precisamente nessas questões de autoridade é prejudicial, e que a autoridade autêntica só pode estar a serviço de Jesus Cristo, que é o único que tem autoridade. Autoridade autêntica entende que ela não pode se afastar nem um pouco desta palavra de Jesus: "Um só é Mestre de vocês, e todos vocês são irmãos" (Mt 23.8). A igreja não necessita de personalidades brilhantes, mas de fiéis servidores de Jesus e dos irmãos. Ela não tem falta dessas personalidades; o que lhe falta são fiéis servidores. A igreja depositará sua confiança unicamente no simples ministro da palavra de Jesus, porque ela sabe que nessa situação ela é guiada pela palavra do Bom Pastor, e não por pensamentos humanos ou por sabedoria humana. A questão da confiança espiritual, que está intimamente ligada à questão da autoridade, se decide na fidelidade com que alguém se coloca a serviço de Jesus Cristo, e nunca nos dons extraordinários de que alguém dispõe. Autoridade de cura d'almas só terá o servo de Jesus que não busca autoridade pessoal, mas que, curvado sob a autoridade da Palavra, é um irmão no meio dos irmãos.

5

Confissão de pecados e Ceia do Senhor

"Confessem seus pecados uns aos outros" (Tg 5.16). Quem fica sozinho com o seu mal, esse fica sozinho mesmo! É possível que cristãos sejam deixados sozinhos, apesar da vida comunitária nos momentos devocionais, na oração e no serviço. É possível que a passagem para dentro da comunhão não ocorra, porque a comunidade envolve fiéis, pessoas piedosas, e não os pecadores, aqueles que não são fiéis. A comunidade de gente piedosa não permite que alguém faça parte dela na condição de pecador. Por isso, cada qual precisa esconder seu pecado de si mesmo e da comunidade. Não nos permitem sermos pecadores. Seria indescritível o horror de muitos cristãos, se de repente aparecesse um verdadeiro pecador em meio aos piedosos. Por isso, ficamos sozinhos com nosso pecado, vivendo uma mentira e sendo hipócritas, porque, na verdade, somos pecadores.

Mas a graça do evangelho, que os piedosos têm tanta dificuldade de entender, consiste no fato de que o evangelho lança a luz da verdade sobre nós e nos diz: Você é um pecador, um grande e profano pecador, mas venha para junto de seu Deus, que o ama, na condição desse pecador que você é. Ele quer você assim como você é. Ele não quer algo de você, um sacrifício, uma obra, mas ele quer unicamente você. "Meu filho, dê-me o seu coração" (Pv 23.26). Deus veio até você, para salvar o pecador. Alegre-se! Essa mensagem é libertação por meio da verdade. Diante de Deus você não consegue se esconder. Na presença dele, de nada adianta a máscara que você usa diante das pessoas. Ele quer ver você assim como você é, e ele lhe mostrará graça. Você não precisa mais mentir para si mesmo e para seus irmãos, fazendo de conta que não tem pecado. Você tem o direito de ser pecador, e agradeça a Deus por isso. Porque Deus ama o pecador, mas odeia o pecado.

Cristo se tornou nosso irmão na carne, para que crêssemos nele. Em Cristo, o amor de Deus foi trazido ao pecador. Diante dele, as pessoas podiam ser pecadoras, e apenas nessa condição receberam ajuda. Diante de Cristo, não havia mais lugar para o faz de conta. A miséria do pecador e a misericórdia de Deus: essa era a verdade do evangelho em Jesus Cristo. Nessa verdade a igreja de Cristo deveria viver. Por isso Cristo deu a seus discípulos o poder de ouvir a confissão do pecado e de perdoar o pecado em seu nome. "Se de alguns vocês perdoarem os pecados, são-lhes perdoados; se de alguns os retiverem, são retidos" (Jo 20.23).

Com isso Cristo fez de nós a igreja e, dentro dela, o irmão se torna algo gracioso para nós. O irmão aparece em lugar de Cristo. Diante do irmão não preciso mais ser hipócrita. Em todo o mundo, é diante do irmão, e apenas diante dele, que posso ser o pecador que eu realmente sou, porque diante dele impera a verdade de Jesus Cristo e de sua misericórdia. Cristo se fez nosso irmão, para nos ajudar; agora, por meio dele, nosso irmão se tornou Cristo para nós na autoridade de seu ofício. O irmão aparece diante de nós como o sinal da verdade e da graça de Deus. Ele nos foi dado com a finalidade de nos ajudar. Ele ouve nossa confissão de pecados em lugar de Cristo, e, em lugar de Cristo, ele perdoa nossos pecados. Ele guarda nossa confissão em segredo, assim como Deus a guarda em segredo. Se eu vou e faço confissão diante de um irmão, estou fazendo confissão diante de Deus.[1]

Assim, no contexto da comunhão cristã, o chamado à confissão dos pecados na presença de um irmão, seguida pela absolvição, torna-se um convite a que desfrutemos da maravilhosa graça de Deus no seio da igreja.

Na confissão dos pecados ocorre o *acesso à comunhão*. O pecado quer ficar a sós com a pessoa. Ele retira a pessoa da comunhão. Quanto mais isolada a pessoa fica, tanto mais destrutivo se torna o poder do pecado na vida dela. Quanto mais enredada a pessoa fica, tanto pior se torna a sua solidão. O pecado gosta de ficar encoberto. Receia vir para a luz. Na escuridão daquilo que não é expresso em palavras o pecado envenena por completo a natureza do ser humano. Isso pode ocorrer em meio a uma comunidade de piedosos. Na confissão dos pecados, a luz do evangelho irrompe na escuridão e no isolamento do coração. O pecado precisa ser trazido para a luz. Aquilo que não tinha sido expresso em palavras é falado abertamente e se torna conhecido. Tudo o que é secreto e escondido é trazido para a luz. É uma luta renhida até que, na confissão, o pecado seja verbalizado. Mas Deus derruba

[1] Bonhoeffer encorajava os alunos do Seminário de Finkenwalde a fazerem essa confissão de pecados no período que antecedia a celebração da Ceia do Senhor, que era celebrada mensalmente. Houve resistência natural, por ser uma prática nova no contexto do século 20 (por mais que fosse prática luterana comum no século 16), mas vários alunos passaram a fazer isso. Não era algo obrigatório nem havia controle quanto a quem fazia ou deixava de fazer.

portas de bronze e despedaça trancas de ferro (Sl 107.16). Na medida em que a confissão é feita na presença de um irmão na fé, abre-se mão da última fortaleza da autojustificação. O pecador se rende, entrega toda a sua maldade, entrega o seu coração a Deus, e recebe o perdão de todos os seus pecados na comunhão de Jesus Cristo e do irmão. O pecado que foi expresso em palavras e revelado perdeu todo o seu poder. Ele se tornou manifesto como pecado e foi julgado. Não pode mais destruir a comunhão. Agora a comunidade carrega o pecado do irmão. Esse irmão não permanece mais sozinho com a sua maldade, mas, com a confissão, ele descarregou a maldade. Entregou essa maldade a Deus. A maldade não está mais com ele. Agora ele faz parte da comunidade dos pecadores que vivem a partir da graça de Deus na cruz de Jesus Cristo. Agora ele tem permissão para ser pecador e ainda assim alegrar-se com a graça de Deus. Ele tem permissão para confessar seus pecados e precisamente com isso passa a integrar a comunhão. O pecado oculto mantinha-o separado da comunhão, dava um ar de falsidade a essa aparente comunhão. O pecado confessado ajudou-o a ter a verdadeira comunhão com os irmãos em Jesus Cristo.

Trata-se, neste caso, unicamente da confissão de pecados que ocorre entre dois irmãos. Para retornar à comunhão de toda a igreja, não é necessário fazer confissão de pecados diante de todos os membros da igreja. Naquele um irmão, a quem confesso os meus pecados e que me perdoa os pecados, já tenho um encontro com toda a igreja. Na comunhão que tenho com aquele um irmão, já me é concedida a comunhão com toda a igreja, pois nessa situação ninguém atua por conta própria e com autoridade pessoal. Pelo contrário, atua com base numa ordem de Jesus Cristo, que vale para toda a igreja e que o indivíduo foi chamado a executar. Se o cristão se encontra na comunhão da confissão de pecados na presença de um irmão, ele nunca mais estará sozinho.

Na confissão dos pecados ocorre o *acesso à cruz*. A raiz de todo pecado é o orgulho, a *superbia*. Quero viver para mim mesmo, tenho um direito em relação a mim mesmo, ao meu ódio e aos meus desejos, à minha vida e à minha morte. O espírito e a carne do ser humano são inflamados pelo orgulho, pois é em seu orgulho que o ser humano quer ser como Deus. A confissão diante do irmão é profunda humilhação. Ela dói, ela apequena a pessoa, ela arrasa o orgulho de forma impressionante. Colocar-se diante do irmão como pecador é uma vergonha praticamente insuportável. Na confissão de pecados concretos a velha natureza morre em meio a dores diante dos olhos do irmão. Visto que essa humilhação é algo tão difícil, pensamos sempre de novo em nos esquivarmos dessa confissão de pecados diante do irmão. Nossos olhos estão ofuscados de uma maneira tal que não mais enxergamos a promessa e a glória desse tipo de humilhação. Foi o próprio Jesus Cristo, e só ele, quem suportou em nosso lugar e em público a morte vergonhosa do pecador. Ele não teve vergonha de ser crucificado como criminoso em nosso lugar. Assim, na verdade, o que nos conduz a essa morte vergonhosa na confissão de pecados não é outra coisa a não ser nossa comunhão com Jesus Cristo. Somos conduzidos a isso, para que, na verdade, nos tornemos participantes de sua cruz. A cruz de Jesus Cristo aniquila todo orgulho. Não encontraremos a cruz de Jesus, se tivermos receio de ir para o lugar onde ele se deixa encontrar, a saber, na morte pública do pecador. E nós nos recusamos a carregar a cruz, se nos envergonhamos de assumir a vergonhosa morte do pecador na confissão de pecados. Na confissão temos acesso à autêntica comunhão da cruz de Jesus Cristo. Na confissão afirmamos a nossa cruz. Na dor profunda da humilhação diante do irmão, ou seja, diante de Deus — dor essa de caráter espiritual e também corporal — temos a experiência da cruz de Jesus como nossa redenção e salvação. O velho ser morre, mas Deus triunfou sobre ele. Agora somos participantes da ressurreição de Cristo e da vida eterna.

Na confissão dos pecados ocorre o *acesso à nova vida*. Onde o pecado é odiado, confessado e perdoado, a ruptura com o passado se tornou completa. "O que é antigo passou." E onde houve ruptura com o pecado, ali existe conversão. Confissão é conversão. "Eis que tudo se fez novo" (2Co 5.17). Cristo fez um novo começo conosco. Assim como os primeiros discípulos, ao ouvirem o chamado de Jesus, deixaram tudo para trás e o seguiram, também o cristão, na confissão de pecados, entrega tudo e segue Jesus. Confissão é seguir a Cristo. A vida com Jesus Cristo e sua igreja começou. "Quem encobre as suas transgressões jamais prosperará; mas o que as confessa e abandona alcançará misericórdia" (Pv 28.13). Na confissão o cristão começa a abandonar seus pecados. Desfez-se o domínio do pecado. De agora em diante, o cristão obtém vitória após vitória. Aquilo que nos aconteceu no batismo nos é concedido outra vez, de graça, na confissão de pecados. Fomos resgatados das trevas e transportados para o reino de Jesus Cristo. Essa é uma mensagem de alegria. Confissão é a renovação da alegria batismal. "O choro dura uma noite, mas de manhã vem a alegria" (Sl 30.6).

Na confissão dos pecados ocorre o *acesso à certeza*. Como explicar o fato de que, muitas vezes, fazer confissão de pecados diante de Deus é mais fácil do que fazer essa confissão diante do irmão? Deus é santo e não tem pecado. Ele é um justo juiz que julga o mal. Ele é inimigo de todo tipo de desobediência. O irmão, por outro lado, é tão pecador quanto nós. Ele conhece a noite dos pecados secretos por experiência própria. Ir ao encontro do irmão nos deveria ser mais fácil do que comparecer diante de Deus! O fato de a confissão diante de Deus nos parecer mais fácil deveria nos levar a perguntar se não nos enganamos muitas vezes ao fazermos essa nossa confissão diante de Deus. Será que não existe a possibilidade de que, mais que outra coisa qualquer, fizemos confissão de nossos pecados para nós mesmos e acabamos nós mesmos nos concedendo o perdão? E será que nossas incontáveis recaídas não derivam do fato de que vivemos a partir da absolvição que nós mesmos nos concedemos e não a partir da verdadeira absolvição de nossos pecados? E a debilidade que caracteriza nossa obediência cristã não seria derivada do mesmo fator? O perdão que nós mesmos nos concedemos jamais leva a uma ruptura com o pecado; isso só pode derivar da própria Palavra de Deus, que julga e que concede perdão. Quem cria em nós, neste caso, a certeza de que, na confissão e no perdão de nossos pecados, está atuante o Deus vivo, e não nós mesmos? Essa certeza Deus nos concede graciosamente por meio do irmão. O irmão rompe a corrente da autoilusão. Quem confessa seus pecados diante do irmão sabe que, ao fazê-lo, não mais está sozinho, pois na realidade do outro ele experimenta a presença de Deus. Na confissão de meus pecados, enquanto eu fico fechado em mim mesmo, tudo permanece no escuro, mas na presença do irmão o pecado precisa aparecer às claras. Mas, visto que o pecado precisa de um jeito ou de outro ser revelado, é melhor que isso aconteça hoje entre mim e o irmão. Seria muito pior se isso tivesse de ocorrer no último dia, no contexto público do juízo final. É pura graça podermos confessar os nossos pecados na presença do irmão. Estamos sendo poupados do terror do juízo final. Por isso me foi dado o irmão, para que, por meio dele, já agora eu tenha certeza da realidade de Deus em seu juízo e em sua graça. Assim como, na confissão de meus pecados, me livro do autoengano ao fazer essa confissão diante do meu irmão, também o anúncio do perdão apenas é absolutamente certo, caso vier da parte do irmão que fala comigo por ordem de Deus e em nome de Deus. Para termos a certeza do perdão divino, Deus em sua graça nos deu a confissão diante do irmão.

No entanto, exatamente em função dessa certeza é necessário confessar pecados *concretos*, ao se fazer a confissão. Ao fazer uma confissão genérica, as pessoas buscam a autojustificação. Experimento a completa perdição e corrupção da natureza humana em meus pecados específicos, na medida em que, a rigor, isso passa a fazer parte de minha experiência. Por isso, a correta preparação para a confissão é o exame com base nos Dez Mandamentos. Do contrário, poderá acontecer que, até mesmo na confissão de pecados diante do irmão, eu me torne hipócrita e o consolo fique longe de mim. Jesus tratou com pessoas cujos pecados eram manifestos, a saber, com publicanos e prostitutas. Eles sabiam por que necessitavam do perdão, e eles o receberam como perdão para seus pecados específicos. Jesus perguntou ao cego Bartimeu: O que você quer que eu lhe faça? Temos de ter uma resposta clara para essa pergunta antes da confissão. Também nós recebemos, na confissão, o perdão de pecados específicos, que nesse contexto vêm à tona, e com isso recebemos o perdão de todos os nossos pecados, os conhecidos e os desconhecidos.

Será que tudo isso significa que a confissão de pecados na presença de um irmão é uma lei divina? A confissão não é uma lei, mas uma oferta de ajuda divina ao pecador. É possível que, mesmo sem essa confissão diante do irmão, por graça de Deus, alguém obtenha certeza, receba nova vida, tenha acesso à cruz e à comunhão. Pode acontecer que alguém nunca venha a ter dúvidas a respeito do perdão e a respeito de sua confissão, que tudo lhe seja concedido na confissão feita em isolamento diante de Deus. Aqui falamos a respeito daqueles que não podem dizer isso a respeito de si. Lutero era um desses que não podia imaginar sua vida cristã sem essa confissão de pecados diante do irmão. No Catecismo Maior ele escreveu: "Por isso, ao admoestar para que se faça confissão, não estou fazendo nada diferente do que admoestar a que você seja cristão". Há aqueles que, apesar de busca e de esforço intenso, não encontram a grande alegria da comunhão, da cruz, da nova vida e da certeza. A esses deve ser mostrada a oferta divina que nos é feita na confissão diante do irmão. A confissão é algo que fica entregue à liberdade do cristão. Mas quem poderia, sem prejuízo, rejeitar uma ajuda que Deus julgou necessário oferecer?

Diante de quem devemos fazer confissão de pecados? Segundo a promessa de Jesus, cada cristão pode ouvir a confissão do outro. Mas será que ele vai nos entender? Será que, em sua vida cristã, ele não está tão acima de nós que só poderá ser levado a se afastar de nosso pecado pessoal, sem compreendê-lo? Quem vive sob a cruz de Jesus, quem reconheceu na cruz de Jesus a mais profunda impiedade de todos os seres humanos bem como do próprio coração, esse não estranha mais pecado algum. Quem já se assustou com a monstruosidade de seus próprios pecados, que levaram Jesus à cruz, esse não mais se assusta nem mesmo diante do pior pecado de um irmão. Ele conhece o coração humano a partir da cruz de Jesus. Ele sabe que o coração está totalmente perdido em pecado e fraqueza, que ele anda errante pelos caminhos do pecado, mas ele sabe também que o coração é aceito em graça e misericórdia. Apenas o irmão que está sob a cruz pode ouvir a minha confissão. Para ser alguém que pode ouvir uma confissão, o que se necessita não é experiência de vida, mas experiência de cruz. Pode alguém ser um experiente conhecedor do ser humano, mas ele saberá infinitamente menos a respeito do coração humano do que o cristão mais simples que vive sob a cruz de Jesus. Por maior que seja a percepção, a habilidade e a experiência psicológica, não capacita a pessoa a entender esta uma coisa: o que é pecado. A psicologia conhece aflições, fraquezas e fracassos, mas ela não sabe nada a respeito da impiedade do ser humano. Por isso ela também não sabe que a pessoa perece unicamente por seu pecado, e que unicamente por meio do perdão ela pode ser curada. Só o cristão sabe disso. Diante do psicólogo eu não posso ser outra coisa a não ser uma pessoa doente, mas diante do irmão na fé eu tenho permissão para ser pecador. O psicólogo precisa primeiramente esquadrinhar o meu coração, mas nunca chega até a camada mais profunda. O irmão na fé sabe: aí vem um cristão como eu, um ímpio, que quer fazer confissão de pecados e que busca o perdão de Deus. O psicólogo me encara como se não existisse Deus; o irmão me enxerga diante do Deus que julga e que é misericordioso na cruz de Jesus Cristo. Se somos desajeitados e incapazes de ouvir a confissão de um irmão, o que nos falta não é conhecimento psicológico, mas amor ao Cristo crucificado. No trato sério e diário com a cruz de

Cristo, o cristão perde aquele espírito tipicamente humano de julgar e de ser tolerante com tudo, e ele recebe o Espírito da seriedade divina e do amor de Deus. A morte do pecador diante de Deus e a vida a partir da morte por graça torna-se para ele uma realidade diária. Assim, ele ama os irmãos com o amor misericordioso de Deus, que, passando pela morte do pecador, leva à vida como filho de Deus. Quem pode ouvir a nossa confissão? Aquele que, ele próprio, vive sob a cruz. Onde a palavra a respeito do crucificado está viva, ali também haverá confissão de pecados diante do irmão.

A comunhão cristã que pratica a confissão dos pecados precisa se guardar de dois perigos. O primeiro tem a ver com a pessoa que ouve a confissão. Não é bom que a mesma pessoa ouça a confissão de todos os demais. Facilmente uma pessoa fica sobrecarregada, e assim a confissão se torna para ela uma rotina sem maior significado. Disso resulta o lamentável abuso da confissão, em que alguém passa a exercer domínio espiritual sobre as almas. Para não sucumbirmos a esse perigo fatal, ninguém deveria ouvir confissão de pecados a menos que ele próprio tenha o hábito de fazer tal confissão. Apenas quem foi humilhado pode, sem prejuízo pessoal, ouvir a confissão do irmão. O segundo perigo diz respeito à pessoa que faz a confissão. Sob pena de comprometer a salvação de sua alma, quem confessa jamais deveria fazer da confissão dos pecados uma obra piedosa. Pois essa seria a mais insignificante, abominável, horrível e vergonhosa entrega do coração; não passaria de conversa sem sentido. Entender a confissão como obra piedosa é uma sugestão diabólica. Deveríamos ousar essa descida até as profundezas da confissão unicamente porque Deus nos oferece a sua graça, sua ajuda e seu perdão. Devemos fazer confissão de pecados unicamente em função da promessa de absolvição. Confissão de pecados vista como obra significa morte espiritual; confissão com base na promessa divina é vida. A razão e o objetivo dessa confissão é unicamente o perdão dos pecados.

A confissão dos pecados certamente é uma prática, em nome de Cristo, que é completa em si mesma e que acontece no contexto da comunidade sempre que houver alguém que queira fazer confissão. No entanto, a confissão serve de modo todo especial como preparação para a participação comunitária na *Ceia do Senhor*. Reconciliados com Deus e com as pessoas, os cristãos desejam receber o corpo e sangue de Jesus Cristo. Jesus ordenou que ninguém deveria aproximar-se do altar a menos que esteja reconciliado com seu irmão. Se isso já vale para cada culto, sim, para cada momento de oração, vale de modo todo especial para a participação na Ceia do Senhor. No dia anterior à celebração da Ceia do Senhor, os irmãos de uma comunidade cristã se reúnem e uns poderão pedir aos outros o perdão pelos erros cometidos. Ninguém estará bem preparado para sentar à mesa do Senhor se tiver receio de dar esses passos na direção do irmão. Quando os irmãos querem, em conjunto, receber a graça de Deus na Ceia do Senhor, é preciso deixar de lado a raiva, a rivalidade, a inveja, as fofocas e tudo aquilo que atenta contra a fraternidade. Só que o pedido de desculpas junto ao irmão ainda não é confissão de pecados, e é apenas essa confissão que tem um mandamento expresso de Jesus. No entanto, a preparação para a Ceia do Senhor despertará no indivíduo também o desejo de ter plena certeza do perdão de pecados específicos, que lhe causam angústia e que incomodam, e que só Deus conhece. Para atender a esse desejo existe a possibilidade de confessar os pecados e receber o perdão no contexto da irmandade cristã. Se o medo e a angústia em função dos próprios pecados aumentaram e se há interesse em ter a certeza do perdão, pode-se convidar a pessoa, em nome de Jesus, a fazer confissão na presença de um irmão. Aquilo que levou Jesus a ser acusado de blasfêmia, a saber, o fato de que ele perdoava pecados, isso ocorre agora dentro da irmandade cristã pelo poder da presença de Jesus Cristo. Um perdoa todos os pecados do outro em nome de Jesus e do Deus trino, e os anjos do céu se alegram pelo pecador que se arrepende. Assim, o tempo de preparação que antecede a participação na Ceia do Senhor será um tempo repleto de admoestação fraterna, consolo, oração, temor e alegria.

O dia da Ceia do Senhor é um dia de alegria para a comunidade cristã. Num contexto em que se está reconciliado com Deus e com os irmãos, a comunidade recebe o dom do corpo e sangue de Jesus Cristo. E, nesse dom, recebe perdão, nova vida e salvação. Na Ceia do Senhor, a igreja recebe novamente o dom da comunhão com Deus e com as pessoas. Na verdade, a comunhão cristã se completa na comunhão da Ceia do Senhor. Assim como os membros da igreja estão unidos de corpo e sangue na mesa do Senhor, também estarão juntos por toda a eternidade. Aqui a comunhão alcançou seu alvo. Aqui a alegria em Cristo e sua igreja se completa. Na Ceia do Senhor, a vida comunitária dos cristãos que vivem sob a Palavra de Deus torna-se plena.

Compartilhe suas impressões de leitura,
mencionando o título da obra, pelo e-mail
opiniao-do-leitor@mundocristao.com.br
ou por nossas redes sociais

Esta obra foi composta com tipografia Palatino e Europa e impressa
em papel Pólen Natural 70 g/m² na gráfica Assahi